JN119268

ゆたかさ
の
してん

The beginning of a creative life

小さなマチで見つけた
クリエイティブな暮らし方

ゆたかさとはなんでしょう
便利になることでしょうか
経済的なことでしょうか
目に見えるものでしょうか
住む場所で違うのでしょうか
見つめてみました
ゆたかさとはなにか

BIRD
HAT

空山
ぼくじょう ようちえん
はっか

YOTTE
NEW YORK 11000km
おやつ
LONDON : 9333km
TOKYO : 565km
まんが
おしゃべり

広島の原爆
BEAR
採集日記

LOVE
THE
LIFE
YOU LIVE.
Live the life
YOU LOVE

㈱皐月屋

もくじ

題字：足羽眞奈
イラスト：堀谷真澄

プロローグ

prologue

つまらないものですが……

以前に仕事の関係で城崎アートセンターを訪ねた際、ご案内いただいたディレクターの方と話をしていて、最後にご案内いただいた御礼にと、お決まりの「つまらないものですが……」と言って手土産を渡そうとしたところ、「だから駄目なんですよ」とお叱りの言葉をいただいてしまった。

「つまらないものですが」という言葉には、謙遜の意味が込められていて、当人としては本当に良い物を渡すつもりでいるのだけれど、こうした態度や物のとらえ方から変えていかないと、地方は変わらない。確かそういったお話だった。

そのときは、あまり気に留めていなかったのだけれど、この〝態度〟というものがふと気になり始めた。地方や地域と関わる仕事を始めるようになって、この辺りに実は重要な事があるような気がしている。

何もない？　鳥取に住んでみて

仕事の関係で鳥取県に住むようになって、かれこれ4年余りになる。

日本で一番人口の少ない鳥取県。正直、住んでみるまでは鳥取県についての明確なイメージはあまりなかった。「鳥取といえば砂丘」という言葉が自動翻訳機のように返ってくるくらい、鳥取県のイメージは砂丘で凝り固まっている。実際に県が実施したブランドイメージ調査でも約9割の人が鳥取県と聞いて想起するイメージとして砂丘を挙げている。

もちろん、それ自体が悪いわけではない。地域として目立った観光コンテンツは、ないよりはあった方がいいことは間違いない。

ただ、東京時代の友人知人や、鳥取県で親しくなった方と話をする中で、どうもこの辺りの認識のズレが気になった。

東京の人は、鳥取といえば砂丘しかないだろうと言う。最近でこそ平井知事のお陰で「あ、スナバコーヒーあるよね！」といった言葉も聞かれるようになったが、会話の中でそれ以上に発展することはあまりない。一方で鳥取県の人は、「鳥取県って何もないでしょ。ね、やっぱり都会に戻りたいでしょ」と言う。

正直、私としてみれば、「う〜ん、どっちも違うんだけれどなぁ」という思いを持っていた。

確かに鳥取県の情報発信を考えたときに、砂丘以外でいうと、境港の水木しげるロード、名探偵コナンの青山剛昌ふるさと館や鳥取砂丘コナン空港等、アニメに絡んだ名所もあるにはある。温泉だって三朝温泉もあれば皆生温泉もある。カニや岩ガキ、梨やラッキョウなど季節ごとの食も豊富だ。ただ、そうした目に見える形での観光コンテンツとは別に、まだ多くの人に知られていない鳥取県の良さや価値があるような気がしていた。

それは一言で言えば、「暮らしの豊かさ」だったり、「人と人のつながりの豊かさ」だったりするのかもしれない。

こういう言葉にしてしまうと、さらっと流れてしまいそうだが、私はこの背景に、冒頭で書いた、人々の〝物事に向き合う態度〟が根底に流れていると思っている。

この本を書こうと思ったわけ

この本を書こうと思ったのは、そうしたまだ世に出ていないここの地域、鳥取や山陰、もっと言ってしまうと地方の暮らしの持っている価値を何とか誰かに伝えたいと思ったからだ。

教育者であり哲学研究者でもある近内悠太氏は『世界は贈与でできている』の中で、「不当に受け取ってしまった。だからこのパスを次につなげなければならない。誤配を受け取ってしまった。だからこれを正しい持ち主に手渡さなければならない」といったことを書いている。

私にとっての鳥取県での経験や人との出会いは、まさにある意味での誤配であった。そしてそれを誰の手に渡すべきかを考えたときに、私はそれは、鳥取県や地方で生まれ、そしてその地を離れてしまった人、あるいは離れようと思っている人にぜひ読んでもらいたいと思っている。

私自身は関東の新興住宅地で生まれ育った人間であり、偉そうにそんなことを言える立場にないのかもしれない。でもだからこそ、鳥取や地方の持っている価値により気がつくことができるとも思っている。

地方創生って一体何だ?

ここで改めて私が何者なのかを簡単にご紹介しておきたい。

仕事の関係で鳥取に、と書いたが、私が鳥取に駐在することになったのは、民間財団として、鳥取県と共同した地方創生に取り組むというミッションを与えられてのことだった。鳥取県の方には大変申し訳ないが、私自身は地方創生や地域活性化の専門家でも何でもない。ただ、日本財団が持っている資金力、国内外含めた人的ネットワーク、そして過去に各地域で取り組んできた事業の実績や知見は何らか役に立つだろうと思っていた。ほとんど無手の状態で鳥取に乗り込んだ私には、そうした組織力がバックにあったものの、好奇心くらいしか味方になるものはなかった。

そんな中、いざ地方創生に取り組めと言われても、一体「地方創生」とは何なのか、首を傾げざるを得なかった。

地方創生を推進する内閣府のサイトには、次のようにある。

人口急減・超高齢化という我が国が直面する大きな課題に対し、政府一体となって取り組み、各地域がそれぞれの特徴を活かした自律的で持続的な社会を創生することを目指します。人口減少を克服し、将来にわたって成長力を確保し、「活力ある日本社会」を維持するため、

「稼ぐ地域をつくるとともに、安心して働けるようにする」
「地方とのつながりを築き、地方への新しいひとの流れをつくる」
「結婚・出産・子育ての希望をかなえる」
「ひとが集う、安心して暮らすことができる魅力的な地域をつくる」

という4つの基本目標と

「多様な人材の活躍を推進する」
「新しい時代の流れを力にする」

という2つの横断的な目標に向けた政策を進めています。

どうもわかるようでわからない。特に最後の「新しい時代の流れを力にする」は何を実現したいのか皆目わからない。

要は、これから日本全体で人が減って税収も減るから、みんなで頑張って稼いで、子どもを産んで、できれば都会よりも地方に住んでもらいたい、といったことが書かれてあると理解した。

しかし、これは何かがおかしいような気がする。確かに国策としてこういう状態を目指していくという方向性は正しいのだろうが、国民一人ひとりの行動は、政府が何と言おうとそう簡単に変わるものではない。実際に地方創生の第一フェーズが２０１９年度に終了したが、東京一極集中の流れはコロナによって多少変化もあったが、大きくは変わっていない。出生率の減少も下げ止まらない。となると、これはもう諦めるしかないのだろうか。

地域存続の鍵をにぎるのは想像力

これまで、鳥取県内はもとより、全国各地の地方や中山間地域を回り、行政や地域おこしに関わる方々のお話を聞かせていただく中で、私なりに理解したところでは、地域存続の成否を分けるのは「想像力の有無」だと考えている。

想像力には三つあって、「自分の暮らす土地に対する想像力」、「他者に対する想像力」、そして「未来への想像力」がある。

一つ目の「自分の暮らす土地に対する想像力」だが、まずはこれがなければ始まらないと思う。地域に対する愛着やシビックプライドを高めようといったことが言われるが、そもそも自分が暮らす土地に対する興味や関心がなければ行動を起こすきっかけを作りづらい。一方でここが一番難しいところでもある。幼少の頃からその土地とどのような関わりを持ってきたのかによって、本人の価値観は大きな影響を受けてしまうので、一旦お祭りや地域内のつながりが壊れてしまうと、取り戻すことは非常に困難と思われる。

二つ目の「他者に対する想像力」は、自分の身のまわりにいる家族から始まり、ご近所さんや自治会の集まり、職場や学校から、仕事を離れた人とのつながり、そして移住者をはじめ、地域の外から来る人に対する思いや配慮だ。若い人がどんどん減っていく地域では、こうしたコミュニティの新陳代謝が起こりづらく、声の大きい人の意見が通りやすい状態が作られてしまう。これによって新しい変化を起こすことが難しくなり、それがさらに若者の地域離れを加速させることになる。

三つ目の「未来への想像力」は、これから起こり得る良い変化も悪い変化もある程度冷静に見通した上で、今やれることに前向きに取り組んでいく力だ。若い人もいなくなってお店もなくなって、この先未来はない、と思って諦めてしまったらそれでゲームオーバーである。小さなことでも創意工夫を凝らした取り組みをしている地域は、やはり活動を継続しているところが多い。

言葉遊びのようだが、「創造力」はこうした「想像力」なくしては生まれないと思う。想像力を生かして常に新しい物事を創造しているクリエイティブな地域には、面白い人が集まるし、そこから経済活動が生まれ、人との出会いも生まれてくる。これにより、結果的に地方創生が目指そうとしていたことも実現されるのではないか。

では、アートイベントをやったり、面白い人を集めればいいのか、というと、そういう話でもない。外側からそういったコンテンツを持ち込むことで、新しい風を吹き込んでいくことは一時的にはできるかもしれないが、地域に根付いた活動になるかどうかが問題だろう。

平田オリザ氏は、その著書『新しい広場をつくる』の中で、「街のそこかしこに、出会いの場＝コミュニティスペースを作っていく。おそらくそれ以外に、日本の地方都市を再生する近道はない」といったことを書いているが、まさにこうした出会いの場をつくっていくことから始めなければいけないのかもしれない。

暮らしを創造する人たち

本書では、8つのテーマで、自分なりの視点と価値観をもって鳥取での暮らしを創造している人たちを取り上げる。それぞれの暮らしは、味噌づくりであったり、家づくりであったり、森づくりだったりする。それ自体は鳥取に限らず、もしかしたらどこの地域にもある暮らしかもしれない。そして、いずれも特別に凄い人たちというわけではないかもしれない。ただ、自分の価値観を大事に、それを具体化する努力を惜しまなかった人たちだ。でもだからこそ、こうした小さな暮らしの中から、これからの地方の普遍的な可能性や価値を見出していけるのではないだろうか。

本書に登場する方々の暮らしに触れていただくことで、これからの生き方や暮らし方に、少しでもヒントを得るきっかけとなればと思う。

自分なりの
暮らしをつくる
8つの「してん」

8 episodes

episode

1

何もないことを、プラスに

藤原　啓司

人が少ないことこそ
価値ではないのか
自然と人の
ちょうどよい関係
余白ある暮らしを
残していく

人も少なければ、店も少ない。町には一軒のコンビニもない。一見すると、「何もない」と思いがちな場所だが、そこで叶えたい夢がある。それは味噌を通じて農業を、自然を、人の営みを継承してくこと。人口わずか2,900人、高齢化率は45%超。鳥取県の最東端にある山間の若桜町に3年前に移住し、味噌を造っている藤原さんを訪ねた。

「何もないのが僕にとってはプラスなこと。人が少ない方が自然にはいいし、耕作放棄地もこれから開拓できる場所だと考えれば資源の塊に見えてくる。若桜じゃないとできない味噌があると思います」

味噌蔵を併設する自宅は町役場前につながる目ぬき通りにあり、車通りも人通りもまばらで時間の流れが少し緩やかに感じる。町どころか八頭郡内を見渡しても味噌製造業者がいないこの地で、一から造ろうと決めたのは偶然の出会いがきっかけだったが、ここには豊かな自然があった。

良質な山水があり、天然麹菌が採取でき、休耕田を借りて自然栽培を実践。自分のやりたい仕事と暮らしを少しずつ形にしている。都会と比べて「何もない」と思いがちな場所も、とらえ方で変わってくるのかもしれない。そのことを藤原さんが教えてくれた。

profile

藤原 啓司　ふじわら けいじ

1986年、岡山県生まれ。大学時代に民俗学を学び、全国を旅しながら人々の暮らしやそこに根付いた農業や発酵文化に興味を持つ。京都府の老舗味噌店での修業を経て、2017年春に鳥取県若桜町に家族でIターン移住。「藤原みそこうじ店」を開業し、味噌造りを始める。

味噌との出会い、若桜への移住

味噌を語るときも、人の話を聞くときも、藤原さんの目はまっすぐだ。岡山県倉敷市出身で京都の大学に進み、民俗学に夢中になったという。人の暮らしぶりに惹かれて全国を旅しては一次産業や暮らしを体験。人の話に興味津々な理由がわかる気がする。そんな学生時代を過ごしながら、民俗学と密接に関わっている農業への危機感が募った。

「農業が日本の文化の根底を作ってきましたが、その農業が今や衰退してきている。大規模栽培や化学肥料とか、農作物はできるけどそこに自然に対する思いはなくなってきています」

農業を立て直したい——。卒業後は島根県にある農業法人に就職するも、配属先はなんと味噌加工部門。麹という言葉も知らなかった藤原さんの人生がここから動き始める。

「麹の種付けは米に菌をつけて、人間の手で温度管理をして大きくしていくんですね。その作業が種を蒔いて収穫する農業と重なりました。菌と対話するものづくりは目に見えない世界で難しいけど、それが面白い。そこからのめり込んでいます」

こだわり出したら止まらない性格は昔から。本格的に勉強をするため、京都で170年続く老舗店に転職。一般的に作業は機械化される中、昔ながらの手作業が残る環境で技術と知識を叩き込みながらも、どこかもどかしさがあった。

「そんな伝統の技を持つ店でさえ、企業である以上は利益を出すために外国産などの原料を使うこともあって……。農業や環境のことを学んできた自分にはどうもそれが疑問で、原料までこだわるためには自分でやるしかないと思いました」

妻・恵美さんの第二子出産も重なり、独立するための移住先を検討。たまたま移住相談会で初めて座ったのが若桜町のブースだった。当初、移住先には地元の倉敷市も考えていたが、味噌造りに使う良質な水が確保できなかった。味噌造りに大きく影響する水には、強いこだわりがあった。

「氷ノ山山系の豊かな山々がある若桜はもってこいの土地でした。水は良いし、他にも味噌を熟成させる蔵がある一軒家も、大豆を作る畑も、希望するものはすべてありました」

こうして、縁もゆかりもなかった地で挑戦が始まった。

安定はいらない。「自然醸造」の味噌

毎日の味噌汁がおいしいと、暮らしが豊かになる気がする。藤原さんの味噌を味わいながらそう思う。いろんな層があるような味の深みは、良質な天然素材と水、さらに天然菌を扱う藤原さんの「自然醸造」だ。

「味噌には、麹によって生み出される酵素というのがあって、実はこの生の酵素を体に取り入れられることが最大の魅力です。一般的には、酵母が活性化するとアルコールを出して膨れあがり、商品になりません。そのため、熱処理を加えたり、酒精という添加物を使って酵母の活性化を抑えているんです。でも、それをすると酵素が生きないんです」

熱処理や添加物を使えば消費期限も2倍長くなり、売りやすくはなるがそれはしない。素材にもこだわる味噌は、減農薬の素材を使う「日々」、農薬不使用の「恵み」、自然栽培素材のみを使う「自然」の3種。すべてに使う氷ノ山の天然水にも、山岳ガイドの資格も持つ藤原さんは胸を張る。

「若桜の山は原生林が残り、綺麗に循環しているから山に力がある。雨が降るだけで水が変わるので、それを感じてどういう味噌にするかをイメージしています」

そんな豊かな自然が可能にしているのが、天然麹菌の採取だ。味噌造りでは、偶然にも昨年から採取している天然麹菌の味噌を仕込むところを見ることができた。

「麹菌で味は全然違ってきます。麹菌を製造・販売されている会社は6社ほどで、それらはより旨味を出す麹菌を人工的に培養した優秀な菌たち。味も安定するし、言ってしまえばエリートです。一方で、天然菌は野生児集団。優れた菌もそうじゃない菌もいるんですが、それらが絡み合ってすごく複雑な味になる。造る味噌は一定じゃないけれど、だからこそ面白い」

最初は天然麹菌がなかなか降りてくれず、目に見えない菌たちを相手に悪戦苦闘。無農薬でも肥料を使う時点で菌は違和感を覚えて降りないといい、自然栽培米でようやく採取した。

「こちらの気持ち一つが降りてくるかに左右します。味が複雑になるのも、安定しないのも当然で、菌が生きているから。でも安定することに僕は違和感を覚えます。不安定でいい。それが自然で当たり前。そこに敏感になり、臨機応変にしていくことが大切だと思います」

若桜の豊かな自然が、おいしい味噌を造っている。

一から
作ってみること

味噌造りにおいて自然であることを大事にする藤原さんにとって、「便利」「効率」といった概念は少し別のところにある気がした。安定しないことが自然。それは味噌造りもそうだし、人が暮らしていくこと自体がそうなのではないだろうか。藤原さんは自分のやり方で、未体験なことや不安定なことにもどんどんチャレンジする。

その一つが、味噌造りに使う素材を自作すること。兵庫県境の山の裾野に段々畑が広がっていて、ここは数年前まで荒れ果てた畑だったが、今は藤原さんが自然栽培の

大豆を育てている。自宅から車で10分以上かかる落折集落にあり、地元の平家弘之さんが協力してくれ一緒に開墾してきた。

「去年は3反くらい作ったんですけど、全部失敗してしまい……。天日干しにしたはずが、雨が多くて乾ききっていなくてカビが生えてしまいました。もう何日もショックで、寝られなかったです。自然栽培は別格。一昨年のものを食べたときは甘みと旨みが食べたことがないくらいで感動しました」

やりたいことは、一からやってみるのが藤原流。こういう失敗も次につなげるための経験になるのだ。大豆に続いて、町内では自然栽培米を作る農家がいないため、来年はまず自分で作り始める予定という。ゆくゆく天然麹菌だけで味噌を造るため、自然栽培の素材をいかに増やしていけるかが当面の課題だ。それは自分の造りたい味噌を造り続けられるかに関わるだけでな

く、若桜町の農業を、もっと言うと町の未来を変えていくことだと藤原さんは言う。
「うちが言うだけでは農家さんもリスクのあることはできない。僕らが良い味噌を造り、もっとたくさんの人に知ってもらうことで農業自体が変わっていくかもしれない。これからは量より質の時代。例え、人口が減ったとしても良い農業があれば大丈夫だと思うし、自然が残っている若桜ならそれができます」
やりたいことに集中する一方、若桜で変わった自分もいる。人に頼るタイプではなかったが、夫婦で味噌造りをする際に近所に子どもを預けるし、畑作りを手伝ってくれる人もいる。そのつながりも、藤原さんの背中を押してくれている。人が少ないこと、何もないことは嘆くことではない。そこには豊かな自然も、人のつながりも、やりたいことに挑戦できる余白もあった。

豊かな暮らしは人口によって決まるのか

藤原さんのお話の中で印象的だったのは、「町は観光だ、移住だといって、何とか人を呼び込むことを考える。それ自体が悪いわけではないが、人が多く来ることが果たして本当に良いことなのかどうか。それによって町が本来持っている自然の美しさといった価値が失われてしまったら、もはや取り返しがつかない。であれば、人が少なくて自然が守られているということの価値こそもっと生かすべきではないか」という話だった。

私は、この言葉に地方創生の本質的な課題とテーマが凝縮されていると思った。観光施策は、目に見えやすい成果が得られるものとして取り組みやすいものの一つだろう。ただ、2020年に発生した新型コロナウイルスの感染騒ぎに見られるとおり、社会環境によって大きく左右されてしまう、非常に脆い施策でもあるのだ。

数年前、ドイツのエアランゲンという町を仕事の関係で訪問したことがある。人口11万人くらいの町だが、ドイツの中でも生産性の高い町で、都市ランキングでも上位に位置している。必ずしも人口規模は大きくない。それにもかかわらず、経済的にも精神的にも豊かな暮らしが実現されている。近年は難民やEU間におけるさまざまな課題を抱えているものの、人々の暮らしや働き方を見ていると何か余裕のようなものを感じさせられたのを覚えている。

取材を終え、不意にエアランゲンのことを思い出した。藤原さんは良い農業を軸に、個人個人が感じる生活の充足感を大事にしたいといい、「自力をつければ大丈夫」と未来に可能性を感じていた。豊かな暮らしとは、果たして人の多い少ないで決められるものなのだろうか。改めて考えさせられた。

「周りに生かされている」という感覚

天然麹菌は周りの環境によって、また、扱う人の振舞いや感情によって影響を受けるそうだ。空気が汚れていれば麹は降りてきてくれない。水も農薬等で汚染されてしまうと、酵素の働きにも影響が出る。非常に繊細な生き物といえる。

考えてみれば、私たちの暮らしも本来は周りの環境に多くの影響を受けている。でも多くの人は、今日生きている世界を当たり前のように受け止めて毎日を過ごしているのではないか。新型コロナウイルスや頻発する自然災害によって、そうした日常が壊れていくことを目の当たりにし、改めて「周りに生かされている」という感覚について考えるようになった。

日々私たちが当たり前に口にする食べ物や水。しかし、その多くが日本の地方から供給されていることに、都会に住んでいた頃の私はあまり意識することがなかったが、鳥取に来て少し変わった。供給地との距離の近さもあるかもしれないが、こういう感覚は自然という環境と暮らしがつながりやすい田舎にいる方が鋭くなるのかもしれない。

何を守り、残していくのか

藤原さんの天然麹菌へのこだわりに職人気質を感じたと同時に、商品としてきちんと売っていくという経済的なバランスへの藤原さんの苦労も感じられた。日本の原風景が次々と失われる中で、地方にまだわずかに残っている文化資源を誰かが残していかなくてはならない。しかし、この文化というものも、目に見えるようで見えにくいものであり、残していくことはなかなか簡単ではない。

「文化はケーキの上のクリームではなく、酵母のようなものだ」と、かつてドイツの元大統領、ヨハネス・ラウ氏が言ったが、この言葉は藤原さんの味噌造りにも通じる。天然麹菌という目には見えない世界で日々格闘を続ける藤原さんの挑戦は、日本の地方にある目に見えない文化を守る活動とも言える。

誠実で実直そうな藤原さんは、これまでは何でも自分でやってしまう方だったという。それが若桜町に来て変わったと言い、「若桜の人はおおらかで優しいし、味噌を造るときは子どもの面倒を見てもらったりして助かっています」と話す笑顔が印象的だった。周りの環境ともうまくつながりながら、藤原さんの暮らしも着実に熟成されていっているようだった。

episode

2

自分を表現し、脈々と受け継ぐ

大谷 訓大

自分が良ければいい
それでいいのか
誰かにもらったら
誰かに返す
そう継いでゆく

高速道路のトンネルを抜けると、まっすぐ伸びる木々の山並みが見えてきた。県庁所在地の鳥取市内から車を走らせること30分。「智頭杉」が有名な林業の町、智頭町に着いた。町面積の9割以上が中国山地の山林に囲まれる自然豊かな町には人口7,000人弱の住民が暮らしている。ここで一人の林業家を訪ねた。

「伐採業は通常切る木から決めますが、僕らは残す木から決めます。生命力のある良い木を残せば、それが50年、100年先になって山主さんの子や孫に利益を残せるかもしれない。僕らは自分たちが良ければいいというのではなく、恩送りの気持ちでやっています」

大谷訓大さんは、林業の話をし出すと目を輝かせる。山主が自分で木を切り、原木市場で売って収入を得ることを自伐林業というが、昔ながらのやり方を踏襲し、山主に代わってそれを行うのが大谷さんらの自伐型林業だ。

時代の流れで林業も大型化が進む中、異色と言える小さな林業を貫いている覚悟か。若い頃に人生にさまよいながら、ふるさとの山に立ち戻った経験からか。坊主頭に髭をたくわえた一見強面の外見や風格が理由ではない。彼の言葉はなぜか心に響くのだ。

profile

大谷 訓大　おおたに くにひろ

1981年、鳥取県智頭町生まれ。大阪の専門学校を卒業し、アメリカとカナダに留学した後にUターン。自宅の山で自伐林業を始め、㈱皐月屋を設立。林業の実践的研修ができる「智頭ノ森ノ学ビ舎」を立ち上げ、現在は自伐型林業推進協会の理事を務める。

人生に迷い、ふと見えた山の景色

林業をすることになるなんて思いもよらなかった。田舎の長男として生まれ、家を継ぐことを祖父母からも刷り込まれたが、期待に反発するように「自分のルーツ」と話す音楽のヒップホップに染まった。大阪の専門学校時代はミュージシャンを夢みながら、音楽やバイトに熱中した。「その日が楽しければよかった」。服屋で働いては夜な夜な仲間とつるむ日々は、楽しさもあったが、いつも朝起きてやってくるのは虚しさだった。

「ある日、中学校の卒業アルバムにアメリカに行きたいと書いたことを思い出して。何かを変えたくて、渡米しました。英語なんて全然できなかったけど、ホームステイ先、語学学校、空港に着いてからのタクシーだけ予約して(笑)。アメリカで感じたのは自分のルーツはなんだろうということ。『アイアムジャパニーズ』って何十回も話すうちに、自分は何者だろうって自然と考えていました」

ヒップホップでは、その土地を代表する意味の「レペゼン」という言葉がある。自分自身のことを考えたとき、浮かんできたのは生まれ育った智頭だった。アメリカに行き、その後はカナダに移って約1年。先が見えない毎日に疲労感もあり、地元に戻ることを決めた。24歳になっていた。

最初は建設会社などで仕事をしながら、自立する方法を模索。人生に悩むときこそ、出会いが転がっているものかもしれない。あるとき、民俗研究家で「地元学」を提唱した結城登美雄氏の講演を聞き、胸を打たれた。

「地域を作るには『ないものねだりよりあるもの探し』と言われたんですね。その言葉がガツンと自分の中に入ってきて。そうしたら今まで気にもとめなかった山が目に入るようになりました」

林業を仕事にできないだろうか——。そう思うと、大谷家は曽祖父の代から山主でもあり、偶然にも祖父がスギやヒノキを植えた山が手付かずで置いてあることを知った。幸い建設会社で重機の操作は覚えていて、すぐに始めようと動けたという。小さな点と点がつながり始めていた。冷却水で火傷をしたり、チェーンソーで足を切ったりしながらも、がむしゃらに技術を体に叩き込んだ。ちょうど実家を自分で改修し始め、仕事も暮らしも自分で作っている感覚。人生が自分の手の中にあるようだった。

自伐型林業という山の守り方

「こういう小さなヘアピンカーブが自伐のやり方。2.5mほどの林道に小さな重機が通れればいいので、山は最小限しか削りません。こうやって良い道を作っておけば山主さんがいつでも木を売り出せる山になります」

大谷さんが作る山は、見上げたときに木々が残され、陽光が優しく降り注ぐようになっている。近年、戦後に植えられた木を一気に切り倒し生産量を上げる大規模林業が主流だが、大谷さんはそれに逆行する。例えば、大型重機で大きな林道を作れば大量に伐採できるが、地肌が丸裸になるほど切り倒し、広い林道を作るために山を削れば、大雨による山崩れを起こすリスクも増す。自然環境のこと、そして、利益を次の世代へとつなぐことを考え、木を残していく。そこに彼の美学がある。

「そうやって作った山を少し離れて見たときに本当に美しい。その感覚は庭師が作庭する感覚に近いのかもしれない。鳥取には民藝の精神があるように、使い勝手と美しさが共存する『用と美の感覚』を大事にしたい。美しいものはやっぱり残っていくと思うんです」

時代の変化は智頭林業にも訪れている。昭和の頃には林業従事者も300人を超

えた林業の町も、一時は50人ほどに。木材価格も大幅に下落。山を残していくには人材育成が必要だと判断し、大谷さんは当時の寺谷誠一郎町長に直談判した。町有林60haを育成の場として開放してもらい、2015年に林業の基本を働きながら学べる「智頭ノ森ノ学ビ舎」を仲間と立ち上げた。現在は35人が所属し、新たな林業従事者を増やしつつある。

「産業として残り続けることが大事。木がなくなると産業がなくなる。産業がなくなると人がいなくなり、町がなくなります。それを持続していくには人が大切。僕ら林業家が豊かに、生き生きと暮らしていけることを背中で示していきたいです」

前出の結城氏は、講演でこうも言った。

「美しい村など最初からあったわけではない。美しく生きようとする村人がいて、村は美しくなったのである」。

循環の暮らしの中、自己実現していく

大谷さんが経営する「株式会社皐月屋」は社員2人。元花屋で花の仕事もやれる社員もいれば、京大卒で個人本屋を開く若手もいる。林業に対しては当然真摯に向き合うが、どこか自由な雰囲気を感じる。彼らは林業だけに縛られず、農業やそれ以外の仕事も自分たちで生み出していく。

例えば、ホップ作り。おそらくホップを作っている林業家は日本で彼らだけだろう。2014年に天然酵母菌を使う人気のパン屋「タルマーリー」が智頭町那岐地区に移住し、新たにビール造りにも挑戦したのをきっかけに、オーナーの渡邉格さんに「ホップを作ってみない?」と誘われた。渡邉夫妻が目指す循環型地域づくりのビジョンを聞き、自分の目指す林業の形と一緒だと思ったという大谷さんは、自然栽培のホップ作りにも挑戦して5年目になる。この年はホップ6kgを生産。60ℓのビールと交換するという。

「初めて自分たちで育てたホップで造ったビールの味が衝撃すぎて。あんなにうまいビールは飲んだことありません。それを仲間みんなで乾杯できることはすごく豊かなことだと思うんです」

林業で山を循環させるように、地域にあるものを地域で循環させる。大谷さんはそこも大事にしている。薪販売も始め、タルマーリーや同級生が店主のゲストハウス「楽之《たのし》」にも使ってもらっているという。また、会社で製材機を購入し、今まで川上だけだった山仕事も製材までして大工や工務店に卸していく計画もある。より木に対する思いを届け、資源が回ることにつなげていく狙いだ。

話を聞いていると、彼らが持つ自由な雰囲気がわかる気がしてきた。林業は山を守る仕事だが、自身の生き方や暮らし方の表現として林業があるように感じた。だから彼らは林業の仕事の枠にとどまらず、自分が信じたものに挑戦する。

「自己満足度が高い人が多いほど、その地域は豊かになると思います。田舎だとついつい自己犠牲の精神が強くなりがち。みんなと同じでないといけない同調圧力みたいなものもないわけではないが、僕が好きなヒップホップはそういうものへの反骨精神でもある。自分の責任で自分が楽しいと思うことをやる。それが人のため、世の中のためになれば一番良いと思います」

迷っていた自分はもういない。まっすぐな智頭杉のように、今を生きている。

HITACHI

DIYな生き方

取材中、話のキーワードにいくつかDIY（Do it yourself）という言葉が上がってきたが、大谷さんの生き方はDIYそのものといってもいい。

まず林業のスタイルも組合等に依存しない*自伐型林業であるし、自己責任を原則として、例えば悪天候時には無理して作業に出ないといった働き方をしている。もともと自営を目指しながらも具体的に何をすればいいかわからなかったというが、地元で建築関係の仕事をこなしながら、そこで親方の立ち居振る舞いや機械の取り扱い方などを実地で覚えていった。こうした経験が結果として今の仕事の仕方にもうまくつながっている。

人生というものは、なかなか計画通りにはいかない。その時には気がつかなくても、その時その時に一生懸命やっていることがどこかでつながることがある。

アップルを生んだスティーブ・ジョブスも、かつてカリグラフィーを学んでいて、そのときの経験がアップルの独自のデザインセンスにつながっているというのも有名な話だ。

もちろん、万人が万人こういった通りになるとも限らないのだが、大谷さんの話を聞いていると、どんなに小さなことでもいいので、まずは自分でやってみることで、何かを変えられるのだという気がしてくる。

用と美のバランス

大谷さんが会社を経営していく上で大事にしているのは、「環境」「経営」「デザイン」のバランスだという。山という資産を長期的に守っていくためには、無理な伐採をせず、時間をかけて丁寧に手入れしていく必要がある。一方で、会社として経営していくためには売上げも当然大事だ。良い物はきちんと適正な価格で販売しつつ、ときに理念に合わない仕事は断ることもあるとか。そして美しい山を「デザイン」すること。それは光の入り方や林道の作られ方、木の生え方が良い具合になっている山を作ることだ。

ある庭師から「用と美」について話を聞く機会があったそうで、庭はどちらかというと「美」に意識を向けるのに対して、山では「用」にも目を向ける。「経営」（＝用）は木材が山主や会社の利益となることで、「デザイン」（＝美）は良い木を残して山を継いでいくこと。そして、「環境」は用と美のバランスが取れた山を作り、災害にも強く人と自然が協調していくことだ。

資本主義経済で売上げを重視し過ぎたり、逆に理想が頭でっかちになりすぎて経済が回らない。そして、人間目線で考えすぎて環境を疎かにする。さまざまなところで、我々はバランスを取れなくなってはいないだろうか？

Not自己犠牲But自己実現

大谷さんのような世代以上（今の30代以上）の多くは、学校教育や社会人経験の中で、自己犠牲の精神をどこかで刷り込まれてきた。自分のことは置いておいて、みんなの役に立つ、会社の役に立つ、社会の役に立つことは良いことである、と。自戒も込めて、そういう暗黙のルールのようなものについ縛られていていないか考えてみたい。

自己犠牲という言葉は一見すると美しく聞こえるが、大谷さんは「自己満足度の高い人が多くなってくれば、自然と地域は豊かになってくる」と異を唱える。まずは自分がどう生きたいか、どう暮らしたいかに正直になることだという。それは決して自己中心的というのではなく、自分も周りも幸せであるという状態を作っていくこと。個人の幸せが数珠繋がりで広がるような、こうした生き方が自然にできるような社会になればいいと思った。

近年、起業家育成やイノベーション創出といった動きが盛んだが、これにはまず風土づくりが鍵となると思っている。そもそも日本の社会風土として大谷さんのような価値観が広がっていけば、自然と起業する人も増えてくるのではないか。特に、若者流出が進む地方においては、このように生き方の価値観を転換していくことこそ、まず始めていくべきことだと思う。

＊自伐型林業
中嶋健造氏により提唱された林業。氏は、日本財団でも2016年度より日本の未来を変えるソーシャルイノベーターの一人として支援を行っている。

episode

3

建築で価値を生み出していく

小林 和生・利佳

いつもの景色も
少し角度を変えたら
違って見える
自分も、街も
少しずつ変わる

窓の外には夏の青空が広がり、杉のまちと言われる智頭の山々が美しいコントラストを見せていた。仕切りが少なくすっきりした約100畳のワンルーム空間は、まるで都会の瀟洒な住宅のようだ。ここは鳥取県東南に位置する智頭町で設計事務所「プラスカーサ」を営む小林夫妻の自邸。そこで柔和な笑顔の二人が出迎えてくれた。

「ここも以前は父がやっていた工務店の資材置き場で、真っ暗な倉庫だったんです。パノラマに見えるこの窓も全部ベニヤ板で閉じられていて、それを剝がしてみたらこの景色だった。いつも見ていた当たり前の景色がまったく違って見えました」

ともに一級建築士である二人は、京都の設計事務所で働いたのち、19年前に夫・和生さんの故郷である智頭町にUターンした。最初は智頭にいる意味、そこにある価値にも目が向かなかったという。その考えが、より本質的に建築と向き合う中で、夢を共有できる仲間と出会い、少しずつ変わってきた。智頭に帰り、自分たちが見つけた夢は「建築を通して人を豊かにすること」だった。

profile

小林 和生　こばやし かずお

1970年、鳥取県智頭町生まれ。国立米子工業高等専門学校を卒業し、京都の高松伸建築設計事務所、FOBAを経て地元にUターン。2001年に妻と「PLUS CASA」を開設する。2020年より鳥取大学非常勤講師。

小林 利佳　こばやし りか

1973年、京都府生まれ。京都精華大学美術学部デザイン学科建築専攻卒。FOBAで夫の和生さんと出会い、結婚して智頭町へ。現在はPLUS CASAで一緒に活動中。

夫婦で建築の仕事。京都から智頭へ

　和生さんは、工務店をやっていた父の影響もあって、米子工業高等専門学校に進学。4年生のときに世界的な建築家である安藤忠雄氏の本に出会って建築設計の道を志した。京都の設計事務所で働いていると き、京都生まれの妻・利佳さんと出会い、結婚。幼い頃からものづくりが好きだったという利佳さんも学生時代に建築に興味を持ち始め、建築士となった。

「あの頃は寝る間もないくらい働いていました」と和生さん。独身時代から朝方まで働き、結婚後も仕事に追われる生活だった。子どもが生まれてからも午前2時や3時に帰宅することが多く、ドアが開く音で父の帰りに気づいて起きる子どもと朝まで遊ぶことも何度かあった。「家族に申し訳なかったし、人間らしい生活はできていなかったよね」と、利佳さんと目を合わせた。そういう毎日に疑問を感じていたし、ずっと続けられるやり方ではないと限界を感じていた。

「建築一色で30歳までやってきて、人生で大事なことは仕事だけじゃないだろうと思いました。それで自分たちで建築をやろうと独立を考えたんですけど、正直言って京都か智頭か迷っていました。仕事をたくさんするには京都の方がいいと思っていましたが、たまたま智頭でタイミングが重なりました」

　父から工務店を手伝ってくれないかという打診があり、同時に地元の親友からは「家を建てるから設計をしてくれないか」と依頼された。その流れで智頭を選んだが、思っていたよりも楽な選択でなかったという。特に環境の変化が大きかったのが利佳さんだった。

「別にやっていけるだろうと簡単に考えていたんです。そしたら言葉(方言)はわからないし、京都と同じ国内なのに、こんなにも価値観や文化が違うのかと衝撃でした」

　生まれも育ちも京都の利佳さんが受けたカルチャーショックは大きかった。散歩しても誰にも出会わない、冬場は大雪で外にも出られない、友だちもできない。家に引きこもるような生活を続け、精神的に追い詰められたという。この頃、いつでも京都に帰ることができるように、車のガソリンは常に満タンにしていたほど。ギリギリの状態だった。

"IT IS ALWAYS BEST
Get 'EVERYDAY' Milk
PREPARED BY HOMESTEAD
SOTO

自邸をリノベーションし、景色が変わった

生活に馴染めず、仕事も順調とは言い切れなかった。当時、和生さんの中で大きかったのが京都で磨いてきた設計技術への自負。建築雑誌に載るようなデザイン性の高いものを求め、建物の「物」の魅力を表現したい気持ちが強すぎた、と反省する。

「なかなかわかってもらえないと思っていたのですが、だんだんとそれが違うのかもしれないと気づきました。家というのは答えが一つじゃなく、お客さんごとに価値観があるのだと思い直しました。僕はずっとこういう家が作りたいというエゴが強すぎたんです。そういう考えの変化と同じ頃に子育てが落ち着き、妻も本格的に仕事を一緒にしてくれるようになり、二人で考えるとアイデアやクオリティーも上がってきて。とにかくお客さんが喜んでもらえる家にしようと変わりましたね」

すると、建築が提供できることは何も「物」だけではないと気づいた。大事なのはそこに住む家族が幸せな日々を過ごすことで、そこに生まれる「豊かさ」に目を向けた。この心境の変化は良い連鎖を引き起こし、智頭に対する見方も変わっていくことになる。その大きな転機になったのが、5年前に行った自邸のリノベーションだったという。

「実家で同居していたんですが、人に豊かな暮らしを提案している自分たちの暮らしはどうなんだろうと思って。家を建てる場所を探して、最終的には倉庫だったここになりました」

1階が作業場、2階が資材置き場だった工務店の倉庫を思い切って改装。住宅用の建物でないため、温熱環境を整えることが課題だった。できるだけ智頭の資源を使おうと工夫。夏は川の水を利用して屋根の散水冷却をし、冬の暖房は山の木を使える薪ストーブを採用した。自分たちのデザインを詰め込んだ家で、智頭の自然を眺める日々。何気ない毎日が何ものにも変えがたいものだと初めて感じるようになった。

「今まで探してこなかっただけで、ちょっとしたきっかけで景色が違って見えました。これまで智頭町出身と言うのも恥ずかしかったけど、今は自慢の町です。自分が楽しいと思うと、見え方ががらりと変わるんだなぁと気づきました」

二人してうなずくように、窓の外の景色に目をやった。

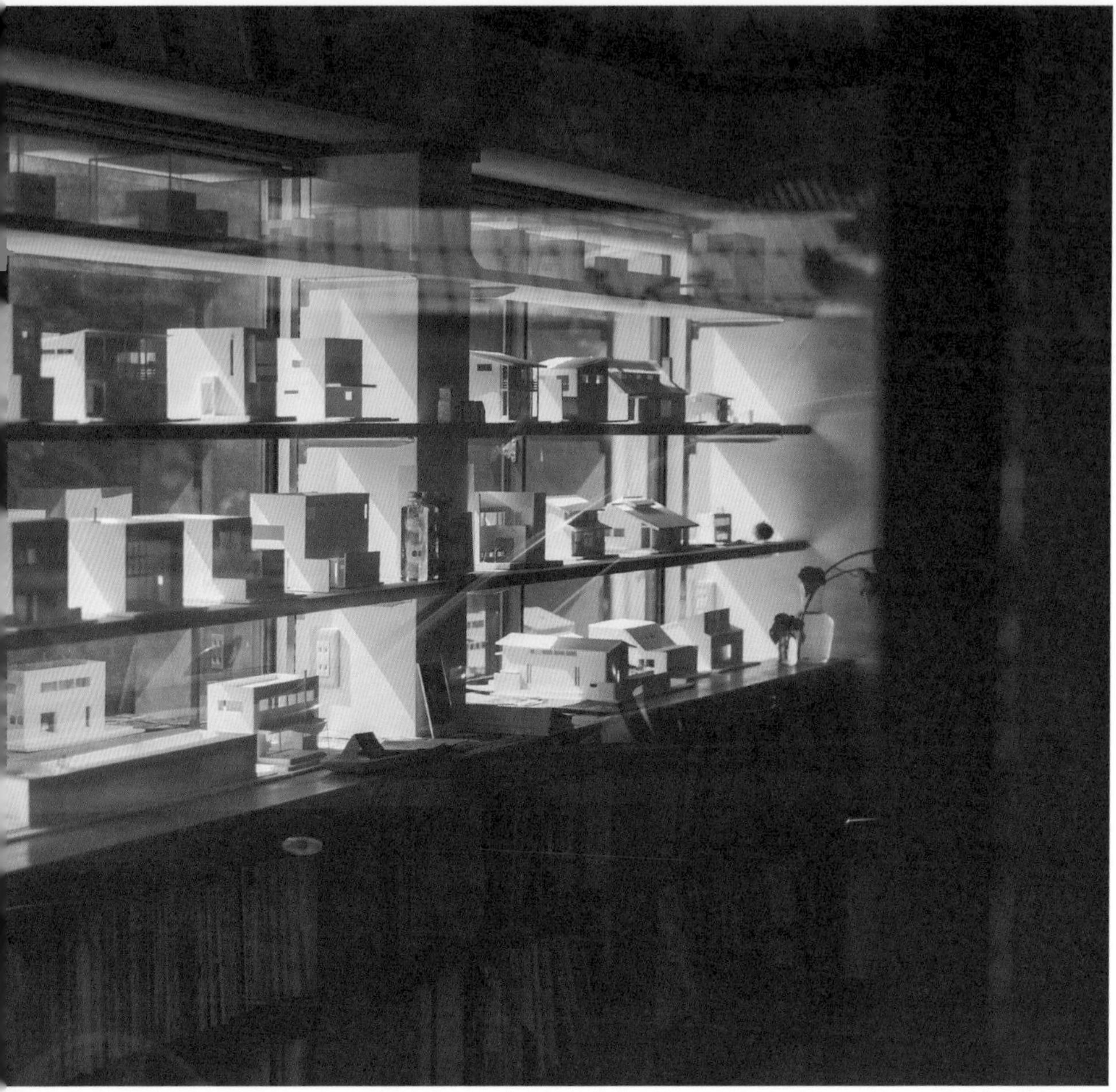

まちづくりの問題も建築で解決

自邸以外にも、古民家の改修を数件手がけていて思うことがあった。

「頼まれたら壊さざるを得ないし、壊してしまうのは簡単。でも、その家には暮らしの歴史があったはずで、それが消えてしまうのがもったいない気がしていました。そういうものをつなぎたいという考えはずっとありましたね」

最近では、町の空き家問題に関わることが増えた。そのきっかけになったのが、観光客が多く訪れるエリアにあるゲストハウス「楽之《たのし》」だ。築１３５年の元金物屋で

40年間も空き家だった建物に息を吹き込み、町民から旅行者まで人々が集う場に変えた。デザイン性とまちづくりの視点が評価され、中国建築大賞（一般建築部門の特別賞）にも選出された。

「施主さんや町の担当者と協議を重ね、どういう場所になっていくのがいいか考えました。過疎化や人口減少、観光客減少など町の課題はありますが、それらを単一の問題としてとらえず、町に眠っている空き家が一軒ずつ変わることですべてが循環してくると思うんです」

利佳さんも新たな動きに精力的で、2020年4月には楽之のオーナーである竹内麻紀さんら女性4人で「智頭やどり木協議会」を設立。観光客や移住希望者などに長期的に滞在してもらえるよう町全体を「まちやど」として見立て、日常的に智頭を楽しんでもらうことを目指している。その拠点となるのが、町内で天然菌を使って

パンとビールをつくる人気店「タルマーリー」の2号店。小林夫妻も設計で携わり、ここに「まちやど」の受付機能を持たせるという。

「建築は、個人であれば家、町であればまちづくりなどさまざまな問題を本質的に解決できるもので、大きな可能性がある仕事だと思っています」という和生さん。隣の利佳さんも続ける。「子どもたちに対しても、自分たちがどんな姿を見せられるかだと思います。何もないとつまらない顔をするのか、楽しそうに笑っているのか。苦しい時期もあったけど、今は智頭にいて良かったと思っています」

「家に付加価値をつける」という思いを込め名付けた「PLUS（プラスする）CASA（家）」という屋号。景色を変えることは、未来をつくること。二人は建築を通し、豊かさという価値を生み出している。

課題を立体的にとらえる

若い人が町から出ていってしまい、残っているのは高齢者だけ。かつては賑わっていた商店街も今はシャッター通りで、空き家や空き店舗が増えてきた。こういったマチの課題は、今や全国共通で、人口約7,000人の智頭町も同様の課題を抱えている。町内には県立の智頭農林高校があるが、ほとんどが町外から通う生徒で、町内からここに通う生徒は少ない。そして、高校を卒業すれば都会に出るか、県内でも県庁所在地の鳥取市などで働く場合が多い。地元には若者、つまり町を継いでいく人がいなくなるのだ。そして空き家が増え、人口減少は負のスパイラルで進んでいく。

こうした町が抱える複数の課題を、小林夫妻は建築的視点で解決できないかと考えている。通常、我々の頭では物事を平面的に考えてしまうのだが、建築という仕事は物事を立体的にとらえる性質がある。これは社会課題をとらえる上でも大変参考になる視点の持ち方だ。

例えば、空き家問題に対して、私だとその空き家と家主、そしてそこに入りたい人との関係性くらいしか思いつかないのだが、建築家は違う。その周りの地域のことやその家が持つ歴史なども視野に入れ、本質的な解決策を探っていく。建物だけではなく、建物とその周りの環境や、そこに住まう人たちとの関係性も考えながら設計していく。

このように、空間的にも時間的にもさまざまな角度から物を見ていくと、これまでは見えてなかった新しい課題解決の糸口が摑めるかもしれないのだ。

物の置き方、見立て方一つで景色が変わる

「ベンチの置き方一つでも、マチの景色を変えることができる」と小林利佳さんはおっしゃった。このように、日常の景色を違う視点からとらえ直すことによって、新しい価値を生み出していくことは、ランドスケープアーティストのハナムラチカヒロ氏の『まなざしのデザイン』という本にも纏められている。

同じような経験を、私自身も鳥取県の仕事で感じたことがある。県立図書館と文化会館の間にちょっとしたオープンスペース（中庭のような場所）の活用を考える機会があった。芝も張られてとても雰囲気の良い場所なのだが普段は誰も使う人がおらず、我々はここをうまく使えないだろうかと考えた。鳥取大学の先生や、図書館、文化会館の関係者やデザイナー、コーヒー屋さんにも協力してもらい、初夏の夕暮れ時にその場所でトークイベントを行ってみた。ちょっとした軽食も食べつつ、芝生の上で思い思いに席を取ってトークを聴かれる方々の様子を見ていると、さながらヨーロッパのような雰囲気だった。

当たり前に思っていた風景も、違う角度で見ることややり方を変えるだけで、別の景色を見せてくれると感じた体験で、あの日は私の心に刻まれた一日だった。

町の風景が変われば、意識が変わる

智頭町出身の小林和生さんは智頭町民と名乗ることに以前は少し恥ずかしさを感じ、妻の利佳さんも引っ越してきた当初は早く京都に帰りたかったと話された。しかし、今では二人とも智頭町で暮らすことや働くことに喜びを感じていて、子どもたちにも「智頭町民」であることが誇りになるような町にしていきたいという。インタビューの中で特に印象的だったのは、「町の風景が少しでも変わることで、そこに暮らす人やそこを訪れる人の意識も変わってきます」という利佳さんの言葉だった。

これまで仕事で地域の問題にいろいろと取り組んできた中で、私が強く必要だと感じたのはこうした物の見方だ。

「最近若い人が出ていって将来が不安だ」「もう自分では運転ができないが、公共交通機関が使いづらくて困っている」「この地域にもう未来はない」など。過疎地域では、マイナスな言葉を並べるのは容易いことで、怖いのはこうした負の思考が世代を超えて伝わっていってしまうことだ。親世代が自分たちの住む地域に誇りや魅力を感じないのに、その背中を見て育つ子どもたちがどうしてそこに価値を感じられるだろうか。

一つひとつは小さな変化かもしれない。だが、「建築によって地域の課題を解決していきたい」という小林夫妻の思いは、確実に町の風景を、そして住民の意識に変化を与えていっている。

episode

4

自分の「枠」を超えてみる

齋藤 浩文

DAIMARU
SUPER HOTEL

今いる場所の
外に立ってみる
自分の「枠」を
決めつけない

人には、仕事、住まい、友人関係、家族など自分を構成する「枠」があり、気づきにくいがその中で価値観が作られていく。枠の中は慣れ親しんだ安心感があるが、その一方、その人をその中に収めてしまう怖さもあるのかもしれない。齋藤さんは「枠」を颯爽と飛び越える人だ。

「本業以外のことをやり、コミュニティをまたいでいることは悪いことじゃなく、自分も個人として成長し、会社のためになることも多いです。そして、銀行のためという意識も大事ですが、自分がこうだったらいいなと思う街にするために、今は街の中で金融に携わる者という感覚で動いています」

地元銀行の鳥取銀行に勤める38歳。日々銀行マンとして奮闘しながら、副業で自身が立ち上げたまちづくり会社「株式会社まるにわ」の代表も務めている。今でこそ副業やリモートワークなど働き方の多様性が叫ばれているが、鳥取ではそんな言葉に馴染みがなかった4年前から実践してきた。

齋藤さんのそういう姿勢は、同世代として刺激的で、眩しく映った。なんと言うか、「自分」を持って生きているように見えた。

profile

齋藤 浩文 さいとう ひろふみ

1982年、鳥取県鳥取市生まれ。鹿児島大学卒業後、㈱鳥取銀行に就職。リノベーションスクールをきっかけに遊休不動産を活用していく法人「まるにわ」を仲間とともに設立。鳥取大丸の屋上のリノベーションや、シェアハウスなどに使う「マーチングビル」の運営に携わる。

まちづくりを志し、地銀に入行

小さい頃から絵や図工といったものづくりが好きだった。鳥取市内の高校を卒業後、鹿児島大学で建築学科を専攻したが、デザインすることよりも建築を通したまちづくりにワクワクした。中学、高校時代は鳥取駅前の中心街で本やレコードを買い、友人と毎日のように遊んだという齋藤さん。「マチ」が自分の好きな居場所だったため、鹿児島でもフィールドワークに出て地元住民と交流しながら学んだ。

「実は、就職のときに鹿児島に残るか迷ったんです。だけど、一番人口が少なくて小さい鳥取県は、裏を返せばローカルの課題が日本一たくさん転がっているということ。そこに活動の余地があると思いました。今後は民間資金をどう使うかが地方を活性化させるための鍵になると思っていたので、銀行に入ってまちづくりに携わりたいと思いました」

その青写真は、なかなか思い通りにはいかなかった。新入行員として支店に配属され、集金や窓口業務、融資係、預金や投資信託の営業……と、基本的な業務に追われた5年間。次は営業本部で予算管理を担当。「ずっとパソコンとにらめっこしていました(笑)」。街が遠く感じた。

何か変えないといけないという焦りにも似た思いから、齋藤さんは銀行の仕事という「枠」を飛び出し始める。この頃、遊休不動産をリノベーションして新たな価値を見出す「リノベーションスクール」が全国的な広まりを見せ、初めて開かれた鳥取市版に参加。そこに偶然にも関係者として来ていたのが大学時代の恩師だった。久しぶりの再会だったが、自分を見失いそうになっていたのをすぐ見抜かれた。

「お前は鳥取に帰って、銀行に入って何をやっとるんだと思い切り怒られました。自分でもわかってはいたんですけど、現実の仕事をやりながら想いに蓋をしていたようなところがあったのかもしれません。そこからですよ、目が覚めたのは。頑張らないといけないなと」

銀行の一員であり、街を考える一人でもある

「毎週のように親に連れて行ってもらって、子どもながらに憧れの場所でしたから。自分がまちづくりに携わるならここからだと思いました」

リノベーションスクールで課題物件に挙がっていたのが、鳥取駅前にある鳥取大丸の屋上だった。時代の変化とともに利用者が減り、齋藤さんが小さい頃にたくさん遊んだように、家族連れが楽しむ姿はめっきり減っていたのだ。「自分がやるしかない」と、直感めいたものがあった。それは覚悟を決めた瞬間でもあった。働いていた鳥取銀行には副業の前例がなかったが、思い切って申請。何かを変えていくのは、こういう一歩の行動からだ。

「銀行の中ではどう思われていたんでしょうね（笑）。でも、周りの目を気にしていたらできなかったかもしれませんし、当然会社員としての役割もありますが、個人としてスキルアップが求められる時代であり、銀行の外にも役割はありそうだなと思いました」

２０１５年、「自分たちの暮らしを、自分たちで楽しくしよう」という志のもと、任意団体「まるにわ」を設立した。齋藤さんをはじめ、人材派遣コーディネーター、塗装屋、建築士、デザイナーとそれぞれが本業を持つ５人が立ち上がった。クラウドファンディングで資金を募り、鳥取大丸の屋上は中央に丸い芝生で遊べる「まるにわガーデン」としてリニューアル。齋藤さんが店主となるオリジナル屋台ＢＡＲ「#今日のサイトウＢａｒ」や満月ヨガなど、まず自分たちも楽しいと思うことはどんどん形にしていった。不思議なことに、そこには人が集まり、つながりが生まれていった。

銀行員とまちづくり事業の２つの顔ができたこともあり、自分自身も変わったという。

「銀行員としての能力は高くないと思っていて、20代の頃は銀行員と堂々と言えま

せんでした（笑）。でも、こうやってまちづくりのことをしていても『銀行員の齋藤君』と言われるんですよね。他の人にとって自分は銀行員であり、その立場や能力を活かせるかは自分次第なんだと思うようになりました」

銀行にいるだけでは、直接的にわからなかったまちづくりにおける自分の存在意義がわかった。大事なのは自分の持っている個性を、どこでどう生かすかだ。それは案外、自分が慣れ親しんだ「枠」の外にあるのかもしれない。

「確かにそれが僕の仕事ですが、リノベーションスクールに参加し、まるにわの活動を通してやっていることは、銀行のためだけではない。自分の成長のためでもあるし、鳥取の街で金融に関わる一人として、街の未来を考えてやっていることです」

自分がどうありたいか、そこが大事だと気づいた。

暮らしを軸に、自分たちで「楽しい」を創る

「鳥取大丸の屋上も少しずつ活気を取り戻し始めたんですが、どこかもどかしさもありました。イベントを企画してその時間を賑やかすことはできても、それを繰り返していくことは本質的ではないと思っていました。もっと根本的に、鳥取駅前を面的にとらえるというか、暮らし方自体を変えていきたかったんです」

祭りごとで盛り上げるのもいいが、日常を変えていくにはそれだけでは足りない気がしたという。目を向けたのが、足元にある自分たちの暮らしそのものだった。鳥取には、思想家の柳宗悦が提唱した民藝運動に傾倒した医師の吉田璋也がプロデュースした「鳥取民藝」の文化が根付いている。暮らしを軸にしたまちづくりには、民藝の視点を取り入れてはどうかと着想。20〜40代が民藝の歴史や文化にも触れられるワークショップを開いて学び始めると、ある空きビルを利活用してくれないかという話が舞い込んだ。偶然にも、鳥取民藝館のある民藝館通りに建つ5階建てのビルだった。

「地元の人間からすると、鳥取駅前は暮らす場所というイメージはあまりないと思うんですが、僕はこの近くで暮らし、この近くで働いていますからコンパクトに生活できる良さも感じています。このビルなら自分たちがやりたいことを形にしていけるんじゃないかと思いました」

２０２０年10月に誕生したのが、シェアハウスやコミュニティスペースを持つ「マーチングビル」だ。20代を中心に入居希望者が溢れるほどで、建築段階でも入居者自身が壁塗りをするなどできることは自分たちで行った。中には齋藤さんの銀行の後輩で、暮らし方を大事にしたいと東京から鳥取に来た2人もいて、「鳥取の中心市街地は都会ほどの喧騒がなく、徒歩圏内で

LOVE
THE LIFE
YOU LIVE.
Live the life
YOU LOVE

だいたい完結する駅前の暮らしは便利で、とても気に入っている」という。空洞化が進む街中も、視点を変えれば価値が生まれる。

「暮らしやすい街を作りたいと思っています。それは人によっていろいろな意味があるけど、僕の場合はそこが地方の中心市街地。路地の感じやサイズ感も、やっぱり自分が育ってきた好きな場所なんでしょうね」

　鳥取民藝を学んでいるとき、柳宗悦が言ったという、吉田璋也が大事にしていた言葉に出会った。「見しや茲《ここ》を、指すや都を」。つい都会に目を向けがちだが、自分たちがいるこの場所にある良いものを見なさいという言葉だ。自分たちの暮らしを自分たちで作ろうとする齋藤さんたちを見ても、改めてそう思う。楽しさは、自分たちが立っている、その足元にある。

暮らし起点の働き方

東京に住んでいた頃、「仕事」と「暮らし」はまったく別のものだと思っていた。「暮らし」は朝、通勤電車に乗って一旦リセットされ、会社に着くと「仕事」の時間に切り替わる。それが当たり前だと思っていたが、齋藤さんを取材して少し変わった。

新型コロナウイルス（以下、コロナ）の流行でステイホームを強いられ、実は「仕事」と「暮らし」の境界線はなかったのかもしれないと感じている。結局、人は1日24時間、365日をどう過ごしていくかで、どちらもその人が生きている時間なのだ。だとすると、両方を良くしていくことが一番幸せなことだと思えてきたし、むしろ「暮らし」を良くしていくための「仕事」（＝働き方）なのではないかと思うようになった。齋藤さんは鳥取市中心街でまさに「暮らし」を起点にした働き方をしている。

地方金融機関といえばどちらかと言えば保守的なイメージが強かったが、齋藤さんは違った。仕事をしながらオフでもまちづくりの活動に関わることは大変ではないかと思ったが、当の本人は実に楽しそう。それはご自身の性格もあるだろうが、仲間が増えていくことも大きいのではないか。リノベーションスクールも、「まるにわ」も、シェアハウスにした「マーチングビル」の取り組みもそうだ。齋藤さんが思いを持って「銀行」という枠を超えたことでできた展開だったり、人の輪のつながりが広がっていったり、という気がしている。やはり熱は伝染していくものなのだ。

中心市街地に新風吹きこむ「マーチングビル」

鳥取市の中心市街地は、地方都市に行けばどこでも見かける典型的なシャッター街だ。私にとっても、自宅や日本財団のサテライト事務所「まちなか拠点」という職場がある場所であり、赴任した当初からここを何とかできないかと思っていた。

街のいろいろな人に話を聞いてみると、みんな問題意識は持っていても一筋縄ではいかないことがわかった。例えば、遊休不動産や空き家をリノベーションしようにも家主さんの同意を得ることが難しく、行政や民間団体がさまざまな取り組みをしてきたが思ったような成果は上がっていない。そうした中で、この「マーチングビル」は、30代である齋藤さんら若者世代から見た中心市街地の新たな価値であり、長年抱えてきた問題に風穴を開けてくれそうだ。

主要な行政施設や医療機関、交通機関、スーパー等が近くにあり、安価な住居があること。そして少し移動すれば豊かな自然がある。この条件は都会から地方に移り住む若者にとって魅力的だという。これによって地元企業の採用需要も満たされ、空き物件がリノベーションされていくことで街の資産価値が上がっていく。齋藤さんたちのプロジェクトは、こうした循環を起こすヒントになっている。

暮らしを起点にした仕事

コロナが発生してから、齋藤さんは「オンライン関係人口」というプロジェクトにも関わられている。「関係人口」は、数年前に雑誌『ソトコト』の編集長の指出一正氏が提起された言葉だ。完全に移住するにはハードルが高いけれど、単なる観光客とも違う。観光以上、定住未満とも言われるが、地方とこのような形でゆるい関わりを持つことが、特に若年層の間で広く受け入れられているようだ。コロナによって直接訪問することは難しくなったが、逆にオンラインでどの地域ともつながれるようになった今、やり方次第ではこれから面白いことを試せそうだ。

齋藤さん自身も、このプロジェクトに触発されて、山の中へ家族と一緒に行き、そこで滞在しながら仕事をするという試みもされているそうだ。今はまだ有給休暇を取ってという形なので、完全にそうした働き方が会社として認められているわけではないそうだが、もしこういった働き方が地方企業でも当たり前になってくると、地方で働くというイメージも変わってくるのではないだろうか。

最初に仕事があって暮らしがある、というのではなく、「暮らし」を起点にした「働き方」というものもあっていいと思う。

8つの「してん」にまつわる情報

INFORMATION of the episodes

episode

1/

藤原みそこうじ店

天然麹菌を使った味噌もつくる、日本有数の技を持つ味噌屋さん。おすすめは天然菌でつくった「米みそ自然」で、夏は冷えたキュウリにつけて食べると最高にうまい（天然菌の味噌は当面、同店かwebでのみ販売。そのほかの味噌は、若桜町の道の駅などでも扱っている）。

〒680-0701
鳥取県八頭郡若桜町大字若桜799-2
☎0858-71-0485
🌐https://fujiwaramiso.com/

episode

2/

株式会社皐月屋

大谷さんの人柄に惹かれて、自伐型林業を志す若者たちが集まってきており、約97%が森林という智頭町の林業の未来は、大谷さんたちにかかっています。皐月屋さんでは薪ストーブ用の薪も販売されています。

〒689-1451
鳥取県八頭郡智頭町大背949
☎0858-71-0207
🌐https://www.facebook.com/
株式会社-皐月屋-201031226634270/

episode

3/

智頭宿 楽之

小林ご夫妻（株式会社PLUS CASA）の手によって設計されたゲストハウス。イタリアン料理店で修業されたシェフがもてなす、地元食材を使った本格的な料理が楽しめます。ランチだけの利用もOK。素敵にリノベーションされた古民家で特別なひとときを過ごしてみては？

〒689-1402
鳥取県八頭郡智頭町智頭484
☎0858-71-0634
🌐https://chizutanoshi.com/

episode

4/

MARCHING bldg.《マーチング・ビル》

旧松木ビルをリノベーションしてシェアハウス兼オフィスとして活用。シェアキッチンや茶の間スペースも備えられています。住人さんたちが本当に楽しそうで、思わず住みたくなってしまいそう。１階は多様な働き方を実践するワークスペースになる予定です。

住所：〒680-0831
鳥取県鳥取市栄町627
（お問合せ）https://maruniwa-tottori.com/contact
🌐https://note.com/marching_bldg

episode

5

地域をデザインしていく

古田 琢也

おもしろくない
そう言ってしまうのは
簡単すぎないか
誰かのせい？
何かのせい？
結局は自分だよ

「周りのほとんどの人から無理だと言われ、親には頭がおかしくなったかと笑われました」。デザイナーの古田琢也さんは、懐かしそうに7年前を振り返る。無謀と言われた挑戦は同級生3人から始まった。「何もない」「楽しくない」。どこでも田舎に行けば地元に誇りを持てない人が少なからずいる。それを変えたかった、と言う。

　花御所柿など果樹栽培や農業が盛んで、秋は柿畑が鮮やかにオレンジ色に染まる県東部の八頭町。人口は1万7,000人。古田さんはのどかなこの町に生まれ育った。東京でデザイナーとして働いていたが、デザインで地元を変えようとUターンした。それは装飾的なことだけではなく、それまでの価値観にとらわれず、時代にあったものの見方でコミュニティを作っていくことでもある。古田さんは飲食店やゲストハウスも運営。さらに廃校をリノベーションし、カフェやシェアオフィスを兼ねた複合施設「隼Lab.《ラボ》」として、その活用にも主体的に関わっている。

　「学校がなくなると地域から笑い声が消えてしまう。いろいろな人たちが集まって挑戦が始まる場にし、それを子どもたちにも見せてあげる。そうやって地域が循環していき、自分たちの町を、自分たちで楽しくする人が増えたらいいですね」

profile

古田 琢也　ふるた たくや

1987年、鳥取県八頭町生まれ。大阪のデザイン専門学校で学び、東京のデザイン会社に就職。八頭町の仲間と「トリクミ」を作り、2014年にカフェ、2016年にゲストハウスをオープン。廃校を複合施設にした「隼Lab.」を運営する㈱シーセブンハヤブサの代表も務める。

デザインで生きる道を選ぶ

「画家か美術教師になることくらいしか知らなかったし、絵で食べていくのは大変そうだなと思っていたところ、中学の美術の先生が『デザイナーという仕事を知っているか？』と教えてくれました」

　旧八東町（現八頭町）の出身で、小中学校では野球部のキャプテンを務めた。野球の他に好きだったのが、絵を描くことだった。小学校では図工の校内コンクールに連続入選。高校は商業デザイン科に進み、そこでヒップホップなどストリートカルチャーと出会うと文字やデザインを描くグラフィティに没頭した。彼のデザインはここから始まった。

「勉強も好きじゃなかったし、将来を考えたときに絵の道しか思い浮かばなかった。専門学校で誰よりもデザインをやった自負があったし、同世代には絶対負けたくなかったですね」

　大阪の専門学校で3年学び、東京の制作会社に入社。大手百貨店の仕事をしていたが、仕事の幅を広げたいと退社し、ＮＩＫＥのプロデュースなども手がけた米村浩氏の会社に移った。大企業の案件も担当し、「3か月で1年分働いている感覚」で昼夜を問わず働いた。制作現場では１００人を超えるスタッフ陣を動かす大きな仕事を任され、そこには刺激や楽しさもあったが、違う感情もあったという。

「大きな仕事は自分の意思だけが通ることはなく、大手広告代理店やその他の力も関係してきます。『あれ、これ誰のために、なんのためにデザインしているんだっけ』と思うこともあって。自分は何をしたいのか、古田琢也として何ができるのか。そんなことを考えていました」

　米村氏にも常々言われていたことがあった。「デザインがあることでその場がどうなるか、なぜそれをするのかを考えろ」。より本質を考える癖は、自分自身にも向けられた。

HOME 8823
Lab
Lab
tsukuruba
tsukuruba inc.
C-SEVEN HAYABUSA
Torihada
BASE 8823
HOME 5 8823

HOME 8823

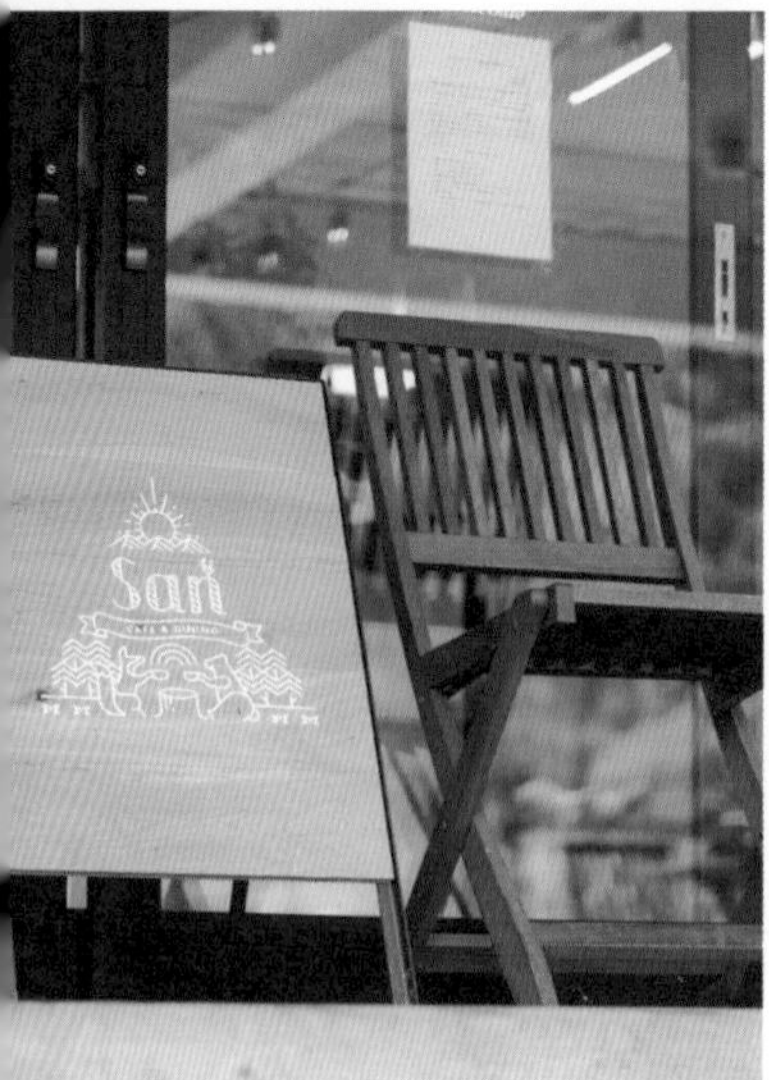
Sari

HOME 8823

自分の力を どこで、何のために使うか

野球部を率いた少年時代からの名残か、仲間と何かを成し遂げたい思いが強かった古田さん。都会での仕事は軌道に乗りながら、ずっと地元への想いもあった。地元に帰るたび、友人の言葉が残った。

「仲間と会うのは楽しかったですけど、『お前はたまに帰ってくるから楽しいんだよ。お前が東京に帰ったら俺らはまた辛い毎日が続くんだよなぁ』ってみんなが言うんです。地元での仕事や生活をよく言う奴がいなかった。それが嫌というか、悔しかったんですよね。それなら仲間と地元を変えていけないか、顔が見える人たちに喜んでもらうために自分のデザインが使えないかと思いました」

会社から独立してフリーランスのデザイナーとして東京で働きながら、八頭町で友人らと任意団体「トリクミ」を設立。地元のＰＲにつながる活動をしていると、ある日地元住民から相談話が持ちかかった。

「若者もいなくなり、町に元気がない、駅前の廃施設を使って盛り上げてくれないかという話でした。やるなら飲食店かなと思ったんですが、さすがにこんな田舎に人なんて来ないだろうと、みんなで断ろうと決めました。そしたら翌日、当時は工場勤めをしていた北村（直人さん）が『俺が会社辞めてでも店をやる』と言い出して。驚いたのと、嬉しかったのと両方でした。地元に残っていた北村はきっとみんなが帰って来たくなる地元を作りたい気持ちが一番強かったのかもしれないですね」

料理人も京都で料理修業をしていた竹内和明さんを仲間に加え、任意団体だったトリクミを法人化。３人で飲食店の「ＨＯＭＥ８２３《はやぶさ》」を２０１４年にオープンさせた。

「目指したのは『地域の台所』。人が集まり、地元の食材が食べられ、地域の人に愛される店にしたかった。農作業の休憩で長靴でも入れたり、着付け教室や子どもたちの勉強スペースになったり。記憶に残る店になったらいいなと、思い描くとわくわくしましたね」

あれから7年。昼時は子どもから高齢者までが集まってほぼ満席状態だ。古田さんも顔見知りの地域のおばちゃんに話しかけられ、楽しそうに談笑していた。彼らが作った台所には、今日もたくさんの笑顔が広がっている。

迷ったら
笑える方に進め

小さなことから大きなことまで、人生は選択の連続である。古田さんはどうしていつも勇敢な選択ができるのだろうと不思議だった。

「米村さんの教えで、大事にしているのが『迷ったら、笑える方に』という言葉です。笑えるというのは楽をするとか楽しいという意味ではなく、例え失敗したとしても仕方ないかと笑えるかどうか。自分に嘘をつかず、後悔しない方を選んでいます」

もちろん重圧や不安も付いてくる。隼Lab.を運営するシーセブンハヤブサは

7社の出資による株式会社。名だたる会社や経営者の中で、代表に推されたのが最年少の古田さんだった。その舵を取るのは大きなプレッシャーだった。

「口内炎が8つもでき、親不知は腫れ、熱も出ました(笑)。でも、失敗や後ろ指を指されるのが怖いからって、逃げた後で文句を言うような自分ではいたくなかったので覚悟を決めました」

小学校はみんなが集まり、複合的に物事が動いていき、地域の拠点となる場所。この形をデザインしようと考えた。シェアオフィスは満室（16社）になり、カフェには30分かかる鳥取市内からも多くの親子連れや若者たちが来店。企業や若者だけでなく、隼地区まちづくり委員会も入居してもらって高齢者の健康体操を行うなど、多世代が交流を深めている。

「自分たち世代だけが良ければいいでは、だめだと思っていて。八頭町だけが良

くてもだめ。近隣のエリアも含めて元気にしていき、次の世代に循環させていくのが目標」と、2020年には県庁所在地の鳥取市にある大手百貨店「鳥取大丸」のリニューアルに伴い、飲食店を2店舗同時にオープン。これまで少なかった若い客層を伸ばしている。

「何もないと言ってしまえばそれまで。でも、そこを好きとか楽しいとか誇らしいと思うのは自分たちがどう動くか次第です。トリクミは、若い人たちが働くこと自体が楽しく、鳥取で何かに挑戦していると思えるようにしていきたいです。そんな社員があと100人増えたら、町が盛り上がると思います」

自分が映画の主人公だとしたらどちらを選んだ方が面白いだろうか。そんな視点で、ストーリーを考え続けている。

行政に頼らず、民間の力でやるということ

古田さんとは、隼Lab.が計画されていた当時に、日本財団としても何か関わることができないかということでお会いしたことがある。それ以来、何度か意見交換をさせてもらったが、古田さんに一貫しているのは「行政に頼らず、民間の力でやり切る」という姿勢だった。

隼Lab.は、国の地方創生交付金や町の補助金を活用して拠点整備の費用は賄われているが、運用は古田さんが代表となっている㈱シーセブンハヤブサという民間企業が担っている。交付金等を活用した「箱物」事業は、以前から全国各地で行われてきたが、その後うまく継続できているところはそれほど多くない。始まるときには勢いもあり、応援してくれる人もいるが、次第に新鮮さや迫力が薄れていき、関係者の熱量も冷めてきてしまうのだ。

古田さんはそこを行政に任せず、自分たちのこととして動かすことが大切だと言う。何かを変えていくには、まず自分たちが変わらなければならないことを知っているからだ。このプロジェクトも当初は反対が多かったそうだが、そこで新しいものが生まれるという。

「誰もがうまくいくだろうと思うことを僕らはやりません。難しいことはそこにある本質がちゃんとデザインされていないこと。だから、そこに僕らがいる意味があると思います」

それにしてもこれだけの案件を引き受けるには、相当な覚悟が必要だったはずだ。人を動かしていくのは、こういう熱量を持った人なのだと思った。

ビジネスとコミュニティの境界を溶かす

隼Ｌａｂ.では、廃校舎をリノベーションして、ビジネステナントとして貸し出すという事業だけではなく、地域住民の方々とも上手に関係を作ろうとしている。お祭りを一緒にやったり、高齢者の方向けの健康サロンを開催するなど、町に関係のない事業者が勝手に集まってきて何かをやっている場所ではなく、地域コミュニティとビジネスをつなぐ試みをしているのだ。

このあたりも古田さんが当初から意識していたことで、私はこうしたビジョンを持つことにとても共感している。人口が１４０人あまりで高齢化も進む八頭町隼地区は超過疎地域であり、ここでビジネスを回していくこと自体相当チャレンジングなことだ。普通であれば、ビジネス視点で頭がいっぱいになりそうだが、地域のことを必ず視野に置き続けるということは並ではない。これが古田さんのデザイン力なのだと感心した。

こういう視点の広さは、これからさらに必要になるだろう。地域が衰退してしまえば、そこでビジネスを継続していくことは困難である。逆に地方を活性化させることができれば、地域コミュニティとうまく共存しながら新しい事業を組み立てていくことができるはずだ。

田舎エンターテインメントという夢

古田さんの夢は、八頭町のような田舎をエンターテインできるような場所にしていきたいということ。そして、自分のように新しく事業を起こす若者が、同じ八頭町内から次々と生まれてきてくれることを望んでいる。

古田さんが高校時代の同窓生に会うと、決まって「ここはつまらない。東京に出ていって活躍しているお前が羨ましい」という言葉をかけられたという。「でもつまらなければ自分で面白くしちゃえばいいじゃん」というのが古田さんの発想だった。

ＨＯＭＥ８８２３という飲食店ができ、ＢＡＳＥ８８２３というゲストハウスができ、隼Ｌａｂ．というビジネスインキュベーション拠点ができ、これから先の構想もまだまだ広がっていく。そしてもう一つの夢、次世代への継承の方も着々と動きつつある。

最近では地元の小学校から呼ばれることもあったり、古田さんの背中をみて自分の挑戦を始めたという若者も現れてきているそうだ。八頭町が第二、第三の古田さんを輩出し、田舎エンターテインメントの町として生まれ変わる日もそう遠くはないかもしれない。

episode

6

顔が見えるところで暮らし、働く

貝本　正紀

顔が見える人に
何かを届けること
それ以上に
刺激的なことが
どこにあるだろう

「みんなが住むなら地方、働くなら都会というけど、自分の場合は逆です。刺激的な仕事をして日々を送りたいと思ってここに来ましたから」

その表情や言葉から生き生きとした様子が伝わってくる。東京のテレビ制作会社のディレクターとして訪れた大山町で今、自分らしい生き方や働き方に気づき、テレビの力で地域や人々を元気にしている人こそ、貝本正紀さんその人だ。

彼が手がける「大山チャンネル」は、人口1万6，000人の大山町民だけが加入して視聴できるケーブルテレビ番組。東京時代と比べると圧倒的に少ない視聴者と狭い放送範囲だが、貝本さんはその小ささを逆手に取り、情報を制限することで「超住民参加型番組」を作り上げた。町民一人ひとりにスポットライトを当てていて、テレビは遠くの知らない誰かのものではなく、自分や隣にいる誰かのものになっている。

「俺じゃなくてもいいんじゃないか」と、自分の存在意義や居場所を問うた東京時代。大山町では暮らしの中に番組のネタがあり、その番組が住む町を変えていく喜びを知ったという。ここでしか、自分にしかできないことを見つけた。

profile

貝本 正紀 かいもと まさき

1975年、奈良県生まれ。25歳のときに㈱アマゾンラテルナに入社し、2015年に地方撮影で大山町を訪れたのをきっかけにケーブルテレビの業務委託を受け、同社大山オフィスを立ち上げる。妻が中心となって運営する「yotte」は地域の子どもたちが集う場になっている。

クローズドな
超住民参加型番組

25歳で飛び込んだテレビの世界は広く、華やかだった。映像制作会社で働きながらスタジオには100人を超えるスタッフが揃い、番組を作る。それはそれで楽しかったが、ふとしたときに我に返ることもあった。

「優秀な人が揃って作っていますから、僕がいなくても回っていくんですよね。当時は誰かのためというよりもテレビの先にいる1，000万人に届ける番組を作ろう、日本一の番組を作ろうと、ひたすら数字を追っていました。今はまず人ありき。知らない誰かじゃなく、知っているあの人のためにという感覚。この町の人にとって日本一面白い番組を作りたいんです」

大山町との出会いは、東京から取材で訪れた2015年。会社としても新たな映像の可能性を地方に求めていた頃で、取材が縁となって町からケーブルテレビの活性化を任せられることになった。この町で何ができるだろうか。そう考えたときに出てきた答えが、東京ではできないであろう「超住民参加型番組」だった。

「まず、テレビを見る機会が失われてきていると感じました。それだったら住民にテレビに出てもらい、制作にも関わってもらえばいいと思ったんです。ナレーター、レポーター、セット作り……。それぞれが得意なことややってみたいことをテレビに活かすやり方を考えました」

番組スタッフは最初3人でスタートし、「手当たり次第の体当たりで関わってくれる人を探した」と笑う。ときには、「声がい い」とコンビニの店員にレポーターになってほしいと頼みこみ、ときにはレポーターをしたいという小学生を抜擢。そこにプロは必要なかった。

「プロを求めると誰でも参加できなくなりますから、完璧じゃなくて不完全さが残る方が良かったんです。そうすることで誰でも自分の持ち場が見つかる。取材先も人づてに面白い人がいないか聞き、出会う人にやってみたいことや好きなことがないかと聞きます。肩書きなんて関係ない。みんなで作るテレビですから」

カラオケ好きなおじいさんに歌う機会を作ったり、飼っているウーパールーパーへの愛情を切々と語ってもらったり。常に住民に合わせて貝本さんの番組づくりは進んでいく。誰もが主役になれ、誰もが身近な人になる。「あんた、この前のテレビ出ていたよな」。そんな声が町のいたるところで聞けるようになった。

Hello!!
We are 大山町民
日本一の
超住民参加型テレビ
～まちのテレビをみんなでつくろう～
スタジオ収録
司会者
コメンテーター
大山チャンネルとは…
司会者、出演者、ナレーターなど
地域の人たちだけで作り上げる
地域の人たちを主役にした
番組づくりをしています。
ロケ
作戦会議
MOVE!
2256

暮らしと仕事が同じ軸にあること

灯台下暗しというように、地方に住んでいるとなかなか気づきにくいことも多い。狭い世界が嫌だと若い頃は大きな世界に目が向きがちだが、顔の見える距離感も貝本さんにはとても魅力的に映った。

「東京時代は主語が大きかった。番組作りも『20代女性にウケるもの』とかざっくりとしていて、それが誰かもわからず、もう想像だけなんですよね。でも、大山町での番組作りは輪郭がはっきりしています。こういう番組を作ればあの人たちが喜んでくれるんじゃないかって、顔が浮かびますから」

ある取材の話だ。地元中学校のバレー部が部員不足によって廃部寸前に追い込まれ、そのバレー部の奮闘ぶりをカメラが密着して追い続けた。取材したカメラマンの白石泰志さんもこの中学校の卒業生。その熱心な取材で作られた番組は多くの関心を呼び、部員が3倍の数に増えたという。

誰かが誰かを思って作る。それができるテレビだからこそ、リアルな変化も感じられると話す顔がほころぶ。

「それを間近なところで感じられるのが嬉しい。これまではテレビのフレームの中ばかりを見ていたのが、今はフレームの外のリアルな世界を見ていて、そこをいかに面白くするかを考えている自分がいます。いい番組を作れば地域が盛り上がり、楽しく暮らせる。仕事と暮らしが同じ軸にあり、地域で働く喜びってこういうことなのかなと思いました」

取材のネタは常に暮らしの中に転がっていて、番組づくりも常に住民目線でやってきた。町のことを討論するスタジオトークでは、「地域の草刈りについて」など身近なテーマをさまざまな世代の町民が集まって語ってもらったこともある。

「大山町は山も海もあって、近いようで生活圏は違ったりもする。海の方に住む人にとって山のことは他人事になったりするのは当たり前。これまではそういう地域や集落単位でコミュニティがあるからそうなっていましたが、それが興味単位で集まるコミュニティになってきています」

昔、一つのテレビを見て家族が笑ったように、一緒に見ることでそこに共感やつながりが生まれる。大山チャンネルはまさにそれを作っている。

大山町で見つけた「豊かさ」

実体験として言うのだが、田舎育ちだとつい地元を卑下しがちになる。貝本さんと話していると、そういう見方が変わってくるから不思議だ。きっと取材や番組を通して町民も影響を受けているのではないだろうか。

「5年前に大山町に来た時は周りの町民からも『左遷されたのか？　だからこんなところに来るんだろ』みたいな扱いでした（笑）。でも、だんだんと変わってきた気がするんですよね。今はみんなが移住してくる人に対しても、なんとなく前向きな気持

ちで来てくれたと受け入れているように見えます。故郷を自慢する人も増えたような気がします」

貝本さん家族は仕事以外でも地域に馴染んでいる。子どもが5人いることもあって、子育てももっと地域全体で子どもを見られないかと考え、一軒家を改修して「こどもの遊び場ｙｏｔｔｅ」という場所を作った。妻の朱恵さんが中心となって運営し、いつも賑やかな声が聞こえるようになり、活動を知った地域の人から譲りものや差し入れをいただくことも多いという。取材日も20人ほどは集まっていた。

「人の温かさや懐の深さと言うのでしょうか。他人の子どもなのにまるで自分の子どものように大切にできる人がたくさんいます。そして、上の子は自分より下の子に優しく面倒をみる。その流れがどんどん循環していく。こういうところも鳥取の良さですよね」

大山町で出会う人たちの顔や、その生き様を知る中で「豊かさ」について考えることが増えた。地方に来る前は、地方の人は大変だと言っているイメージがあったと話すが実際は真逆だったという。貝本さんはまるで宝物を見つけた少年のように嬉々として語る。

「自営業の人も多いせいかわからないんですが、何か不便なことがあっても、それを工夫して自分でやっちゃう人や解決してしまう人が多いんですよね。不便さを乗り越えた時に手に入る喜びってあるじゃないですか。自分が動くことでちょっと暮らしが良くなるとか。それこそ豊かなことなんじゃないかと思うんですけど、それを自然にやっている。自分で暮らしを作っているというか。なんだかんだ言いながら、ここのみんなは楽しそうですから」

小さな町にフォーカスすることで見えてくるもの

貝本さんの話を聞いていて特に印象的だったのは、大山町という町にとことんまでこだわる姿勢だ。僕らが何か物を企画したり考えたりする際に、情報や資源は多ければ多いほど良いという思考に陥りがちだが、良い企画というのは情報の多さに比例するものでもない。むしろ強い制約条件がある方が、どこに何を届けるかという本質的な目的がはっきりと見えてくることもある。

東京には、有名人も多いし、番組制作をするにあたって必要なものはほぼ何でも揃っているだろう。一方で大山町には東京にあるような資源はほとんどない。自分たちでいろいろなことを考え、工夫するということが必要となってくる。でも、それが仕事のやりがいにつながってくるという。

資源はなくとも住民はいる。貝本さんはそこに目をつけた。町の住民の中には、声がとても綺麗で、ナレーターをやらせてみたらピカイチという人もいれば、写真が上手な人もいる。スタッフの手もそうやって増やせるし、取材ネタも東京ならネタにならなかったであろうものにも目を向けられる。どこからともなく「天然パーマが直毛になる水がある」みたいな町内の意外な情報が回ってくるのも、狭い世界に身を置いているからこその利点だ。

こうして住民参加型のケーブルテレビ番組が始まり、人気を呼ぶ番組になった。この取り組みの一環で、町の高校生にも番組づくりに関わってもらう「大山テレビ部」の取り組みを、日本財団でも支援させていただいたことがあり、貝本さんともそのご縁で今に至っている。

内からの目線、外からの目線

町のケーブルテレビ会社として日々、高齢者から子どもたち、ときには町長まで、町内のさまざまな年代や立場の方と関わる中で、貝本さんにはこの町の人が本当に幸せそうに見えるそうだ。

もちろん、それは外から移住してきた立場だからこそ見えるところもあるだろう。

貝本さんご自身もその点は認識されていて、「運が良かったのは、仕事を始めるときに地元出身の仲間とめぐり合えたこと」なのだという。制作チームには、当時から白石さんという大山町出身のスタッフがおられて、白石さんの目線と移住者である貝本さんの目線が合わさることでより質の高い番組の制作につながっているそうだ。

我々が地域でプロジェクトを立ち上げる際にも、できるだけ外物目線だけで考えないようにしている。とかく東京から地方に来て仕事をしようとすると、東京目線で物を考え、それをそのまま地域で実行してしまいがちだ。でもそうしたプロジェクトは往々にしてうまくいかない場合が多いのだ。

1，200万都市の東京と1万5，000人の大山町　どっちが幸せか

1，200万都市の東京は人も多く、仕事としての選択肢も豊富だ。約1万5，000人規模の大山町とでは当然のことながら仕事の進め方はまったく異なる。東京では不特定多数を相手に、どうすれば視聴率を上げることができるのかと考えていたが、今では顔の見える地域住民に喜んでもらう番組を目指している。自分が良い仕事ができれば、それによって地域も良くなってくる。こういう実感が一番幸せなのだという。

　貝本さんが喜びを感じるのは例えばこんなとき。町内の男性と娘さんが料理番組を一緒に見ていたそうだ。娘は父の誕生日にその料理をプレゼントしてあげたそうで、嬉しいプレゼントをもらったその男性から、後日、貝本さんのところにお礼の連絡があったそうだ。

　「茶の間」という言葉が死語になりつつある。私が小さかった頃は、家族がテレビを囲んで同じ番組を見る光景がまだ残っていたが、近年若者のテレビ離れが言われて久しい。貝本さんたちの取り組みは、この「茶の間文化」を家庭の中に、そして地域の中に取り戻そうとする運動のようにも見える。茶の間から共通の話題が生まれ、地域の共通言語となっていく。そうした媒介装置としての役割がこれからの地方ケーブルテレビ局に求められているのかもしれない。

episode

7

好きなことで居場所を作る

水田 美世

PUMA

楽しいと思うこと
それが一番
自分を喜ばせてくれる
そこに輪ができ
居場所になる

取材中、何度も子どもたちが水田さんのもとへやってくる。なにやらビーズをくっつけて形を作るおもちゃで遊んでいるようで、最後にアイロンで固める作業をお願いしに来るのだ。「ちょっとすみません……」と、申し訳なさそうに席を外す水田さん。大人の都合だけで子どもたちをないがしろにしないのも、この人らしいところだ。

埼玉県でもともとギャラリーの学芸員をやっていて、出産と育児を機に故郷の米子市に戻ったのが6年前。自宅横に子どもの居場所「ちいさいおうち」を作り、また、県内のアートや文化活動を伝えるWEBマガジン「＋○＋＋○《トット》」を主宰している。

幼い頃から何かを見つけては「これはなんだろう」「なぜこうなっているのだろう」と考えることが楽しくて、頭の中で想像を膨らませた。そして、楽しいと思うことを誰かと共有することはもっと楽しいことだと気づいた。

「米子で生きていけるんじゃないかと思えたのは、自分の生き方をし始めたから。できることや好きなことで誰かとつながりたかったし、それが自分のいたい場所になって、誰かの居場所になる。それができたら最高だと思いました」

profile

水田 美世　みずた みよ

1980年、千葉県生まれ、鳥取県米子市育ち。東京で出版社勤務を経て、埼玉でギャラリーの学芸員として８年間勤務。鳥取県にUターンし、自宅横に子どもたちの居場所「ちいさいおうち」を作る。地域の文化を綴るメディア「＋○＋＋○」を立ち上げ、編集長を務める。

念願だった学芸員の仕事と転機

昔から美術が好きだったが、どちらかといえば創る方じゃないと気づいた。心を惹かれるのは作品が持つ文脈や歴史、作家の人間性など、そこにある本質や真理のようなもの。「なぜだろう」「どうなっているんだろう」と、好奇心に満ちていた。筑波大学を卒業後は出版社に就職。3年間働いたのち、埼玉県の川口市立アートギャラリー・アトリアに移って学芸員として働いた。学芸員という仕事に、とてもやりがいを感じていたという。

「展覧会の企画や運営をすることや、作家さんと一緒にワークショップを企画してその場所で何ができるかを考えていました。未就園児のワークショップとかも多かったんですけど、好きな作家さんと一緒にどうやったら地域の方々にアートの楽しさが伝わるかを考えるのが仕事でした。すごく好きなことをさせてもらっていました」

仕事にやりがいを感じられる日々を送っていたが、ようやく非常勤から正職員になれたころ、人生の分岐点に立った。長男の出産をきっかけに家族で米子市にUターンする話が持ち上がり、夫の方が米子市で働きたいと先に言いはじめた。水田さん自身も東日本大震災直後で関東での暮らしに不安もよぎった。しかし、それ以上に仕事を続けたい思いが強かったと振り返る。

「正直、米子に帰ることは考えていなかったです。学芸員になるのは本当に狭き門ですし、一度辞めたらもう二度とできなくなるんじゃないかという不安もありました。手放したくないという気持ちが大きかったんでしょうね」

米子市で出産と育休で1年を過ごした後、1歳の長男を連れて単身で埼玉県に戻り、仕事を再開。保育園やファミリーサポートなど頼れるものはすべて頼ったが、一人で家のことも仕事もこなす大変さは想像以上だった。心身ともに追い詰められていくのがわかった。次男を妊娠したときには、学芸員にしがみつくことを諦めた。

「その時はもう米子に帰らなきゃいけないと思いました。でも、正直、高校生の時までは米子はつまらないと思っていました。嫌いじゃないけど楽しくはない（笑）。でも、その状態で戻るのは嫌だったんです」

子どものひろば
つぎは

傍観者でなく、人生を自分で生きる

気持ちを切り替えると、自分の中で何かが変わっていくのがわかった。
「本来、自分は石橋を叩いて叩いてようやく渡るタイプですが、ギャラリーで一緒だったアーティストたちは自らの表現を前面に押し出し生きている人たちばかり。そんな生き方を見尽くしたのかもしれませんね。私も傍観者ではなく、自分のやり方で人生を生きてみようと考え始めたんです」

水田さんは言う。20代は自分がどこまでできるかわからずがむしゃらに突っ走る時期。30代は自分の能力や体力の輪郭がはっきりしてくる時期。学芸員としてやってきたことを生かし、自分で満足できる形が作っていけるのでは――。場所は関係ないのかもしれないと、少し強くなれた。

　きっかけはいつも身近なところにあるもの。彼女の場合は、両親が25年前に始めた「子どもの人権広場」があった。保護者や子どもに関わる専門家が一緒になり、いじめや不登校といった問題に取り組む活動だ。その一環で月に1、2回ほど「子どもの広場」といって家庭や学校とは違う子どもたちの居場所を設ける日があった。そこで出会った親同士のつながりも、埼玉県から戻ったばかりの水田さんにとっては大きかったという。

　両親のその活動を「ちいさいおうち」として自宅横に建物を建てて継承。水田さんはそこの管理人となった。そこには自由に遊ぶ子どもたちの居場所があり、かつての自分もそうだったように親にとっても救いの手を差し伸べられる場所になっている。

「埼玉に住んでいた頃は人が多い分、社会的に求められる固定された役割が今より多かった気がします。仕事上の立場やいろいろな関係性も考えて、こういう風にいなきゃいけない、みたいな。でも今は無理をせずにいられるので、気分は楽ですし、田舎の方が仲間は見つけやすい気がします」

好きなことで居場所を作る

その目は、とてもまっすぐだった。彼女が主宰するＷＥＢマガジン「＋○＋○」の取材活動に同行したとき、じっと相手の目を見つめながらインタビューに臨む水田さんの姿が脳裏に焼き付いた。

「私、自分がわからないことに興味があって。だからインタビューがすごく好きです。その人が何を考えていて、何をしているかに触れられるから。それに、インタビューってその人自身もそれまで意識していなかったけど、聞かれたことで言葉になることもあるんですよね。続けていくな

廃棄物アーティストの
淀川テクニック氏の
アトリエにて

かで、だんだんとそう認識するようになりました。話を聞かせてもらう相手にとっても、それまで見えていなかった自分に気づくきっかけになれば嬉しいです」

幼い頃からの好奇心は今も止まることを知らない。誰しも好きなことで生きていきたいという願望があるかもしれないが、水田さんのように、自分ができることを、自分の居場所で咲かせていくとそんな風に生きられるのかもしれない。埼玉時代に力を注いだアート関連のことでも、鳥取で自分らしく居場所を作っていった。

鳥取県では地域の活性化と芸術鑑賞の機会増加を狙い、アーティストが地域に一定期間住んで創作するアーティストインレジデンスを用いた「鳥取藝住祭」を2015年まで開催。県としての開催は終わったが民間関係者やアーティストが協力して動きが継続していき、そういった情報をまとめるメディアの存在が求められ

た。そこで水田さんが仲間と立ち上げたのが「+〇++〇」だ。プロジェクトをやっている人や地元アーティストの新しい動きなどアンテナを張ってきた。そして今、また違う視点で考えているという。

「+〇++〇にはプロじゃないライターさんが多いけど、自分の言葉で自分の地域に起きていることを記録していくことに意味があると思うようになりました。記録を残すことは歴史を作ることであり、自分の生活がどう歴史や社会にコミットしていくかを体現すること。そういう意識で生きている人が地域に増えたら嬉しいですね」

周りを見渡せば、自分の好きなことでつながることができるかもしれない。大事なのは一歩、二歩と歩き出してみること。そうしたら、立っている場所が自分の居場所になってくる。かつてはつまらないと思っていた街を、今は楽しめている。ここが自分の居場所だ。

地域の文化、情報を編集することの価値

水田さんたちが立ち上げたWEBマガジン「+○+○《トット》」は、立ち上げのタイミングで日本財団も支援をさせていただいた。「+○+○」は、必ずしもプロのライターではない人たちが、自分の言葉で自分の地域のことを記録していくローカルメディアであり、特に文化や芸術に関連した情報を中心に発信していくことがコンセプトとなっている。

日常の風景や暮らしの記憶、こうしたものが積み重なって、その地域なりの文化を形成していく土台が作られていくのだと思う。私が「+○+○」を応援しようと考えたのは、そうした意味において、あくまで住民目線で地域の日常を記録し、残していくという行為は、それ自体に価値があると考えたからだ。

特に、鳥取県のような人口が減少している地方において、今の日常の何を良いものととらえ、価値を置いているのかという価値観を共有していくプロセスは大事なことなのだろう。

なぜならば、コミュニティはある程度共通の価値観が共有されてこそ、生きてくるからだ。

例えば、祭りや、食生活などもそうした共通体験を形成するものだと思うが、「+○+○」はWEBマガジンという形を取ったコミュニティ形成のための媒体と見ることもできる。実際に今「+○+○」には、デザイナー・建築家・公務員・会社員・喫茶店の店主まで、実に幅広い人たちがライターとして関わっている。これ自体が一つのコミュニティにもなっている。まだ始まって数年ではあるが、地域における貴重なローカルメディアの一つとして、また、コミュニティを醸成していく装置として、今後の展開を楽しみにしている。

小さな広場をつくる

水田さんが運営する「ちいさいおうち」の活動は、プロローグでも紹介したが、平田オリザ氏が提唱されている「小さな広場」をつくる試みと近いと感じた。

決して規模が大きなわけではなく、何か特別な仕掛けがあるわけでもない。ただ、アートというものに長年接してこられた水田さんならではの視点や引き出しがあって、それが「ちいさいおうち」という場の雰囲気をとても居心地の良いものにしているように見えた。この場は、基本的には子どものために作られた場所ではあるが、大人が行ってもいろいろと気づくところがあると思う。

子どもだけでもないが、場所というものがそこにいる人との関係性を作っている。例えば、子どもと親という関係性は「家」という場が、生徒と先生という関係性は「学校」という場があるように、そこが土台になって価値観や考え方が形成されていく。

そうした土台があることが良いこともあれば、時に両者の関係性を難しくすることもあると思う。もしくはそうした環境の中で子どもの可能性を狭めてしまっている可能性もある。「ちいさいおうち」はそうした制約から一旦離れ、自分自身に素直になれる場なのだ。アート的な視点は、そうした子どもたちの可能性を引き出していくために役立っているように見える。

そしてこのような、人と人との関係性をゆるやかに、そしてちょっとずつ変えていく試みが、平田氏の言う「小さな広場」の考えにとても通じるものがある。

しっとりとした山陰の空気感から生まれるもの

「+○+○」も、「ちいさいおうち」の活動も、いずれも人と人をつないでいったり、関係性を良いものに変えていく取り組みだと思う。

　水田さんがおっしゃるには、「高校時代は住んでいる米子という街が嫌いではなかったけど楽しくはなかった」そうだが、今では逆に東京時代にはなかった濃い人とのつながりがあって、「関係性が次々に広がっていく感じがする」のだという。

　取材の日もちいさいおうちの利用者さんか、ご近所さんかわからないが、近くに通りかかった人と会話が生まれ、コミュニケーションが始まっていた。ドライな都会、ウェットな地方。山陰は晴れ間が少なく、雨も多い。水田さんはそのしっとりとした空気感が好きなのだという。アートや子どものこと、自分の好きなことや関わりが深いことを表現し、そこに周りとの関係を広げていくこと。それを形にしていく上で、山陰らしい空気感は大事だったのかもしれない。

episode

8

自分で決めること

大堀 貴士

どっちの道に
進めばいいか
自分の心に聞いてみる
やりたい気持ちに
まっすぐに

ガハハと笑う大堀さんは、まるで少年が見せるような本当に楽しそうな顔をする。そして、周りにはいつも子どもたちの笑顔。楽しもうという、目には見えない気持ちが見える気がする。大堀さんもストレスや悩みがないわけではないだろうが、それらとは無縁に見えてしまう。

「やっていることの過程で大変なことや、うまくいかないことはもちろんありますけど、これまでずっと『自分がやってみたい』ということをベースにやってきたから基本楽しいですね。やりたいことか、嫌々やることか、で自分が強く進めるかは大きく違ってきますから」

八頭町と鳥取市にかかる空山という小高い山に「空山ポニー牧場」はある。大堀さんが理事長を務めるNPO法人「ハーモニィカレッジ」はここを拠点に、週末のポニークラブや長期休みのポニーキャンプなどを行う。そこでは、馬に乗ったり、自然体験をしたり、仲間と共同作業をする中で、子どもたちに自信と誇りを持ってもらう目的で活動を続けている。

大堀さんは大阪出身で25年前に鳥取へ来て、子どもたちの生きる力を育もうと日々寄り添う。鳥取市街地を一望できる牧場から見上げる空はとても広く、今日も子どもたちや馬たちがのびのびと過ごしている。

profile

大堀 貴士 おおぼり たかし

1973年、大阪府生まれ。大阪工業大を卒業後、八頭町で活動していたNPO法人「ハーモニィカレッジ」にスタッフとして入る。創設者の石井博史さんを継ぎ、現在は理事長となって、馬とふれあいながら子どもの成長を見守る活動を続ける。

人生の岐路は、ワクワクがある方へ

「やったらだめと言われたらやりたくなるんですよね。自分でやらないと気が済まないというか」。活発な少年で、とにかく気になったことは体験せずにはいられない性格だった。そんな好奇心が年頃になるとやんちゃをしてルールをはみ出す「かっこよさ」にも憧れを抱かせたが、それもどこか違うと感じ始めたという。

「子どもの頃からボランティアさんによるキャンプ活動に参加していたんですけど、自分の中で『かっこいい人』はそこにいるお兄さんや大人たちでした。野外活動の技を見せてくれ、人を笑わかすことや喜んでもらうことを一生懸命やる。みんな思いを持って生きているように見えました」

そんな憧れから自身も大学時代に子どもたちを相手にした野外活動に熱心に取り組んだ。「シュートみたいになりたい」。愛称で呼んでくれる子どもたちを見るたびに、将来は子どもと関わる仕事ができたらという思いは強くなった。大学4年のとき、大手電機メーカーから就職の内定をもらい、理想と現実の間で揺れた。

「大手企業は確かに安定して見えたんですけど、人生の先が見えてしまった。給料もいいとか、親に苦労もかけて大学に行かせてもらったとか、こっちを選べば将来は大丈夫とか。頭の中でその会社に行く理由を挙げていたんです。そんな時にひろさんと出会いました」

ひろさんこと故・石井博史さんはポニー4頭とともに故郷の旧八東町（現八頭町）に帰ってハーモニィカレッジを創設した人。とにかく熱い人だった。今でもひろさんの話題になると、誇らしそうに、嬉しそうに話す。

「当時のひろさんは40代。いい歳の大人がめっちゃ楽しそうに夢を語るんですよ。子どもたちが豊かに過ごせる学校以外の時間を作るとか、ポニー牧場の未来とか。もう、人としてスケールが違いすぎて。小さい頃から失敗やダメになることも含めてワクワクする方にチャレンジしてきましたから、なんとかなるやろ！と一緒に働くことを決めました」

なんと給料は5倍違ったといい、周りの99％の人には反対された。頭の中では内定をもらった会社に行く理由を必死に挙げていたが、もう自分に嘘をつけなくなっていた。素直に自分の心が動く方を選択することに、理由や根拠なんてなかった。

HARMONY
COLLEGE

空山
ぼくじょう ようちえん
はっか

「自分で決めること」の強さ

子どもたちが馬に乗る日だと聞いてお邪魔した。法人が運営する「空山ぼくじょうようちえん　ぱっか」の子どもたちがヘルメット姿で順番を待っているが、その数は全体の半分にも満たない。乗るか乗らないかは子どもたちの気持ち次第。決して大人が強制したり、無理に誘導したりはしない。

「ポニー牧場なので馬に乗って当然と思われるんですが、僕らは子どもたちが乗りたいという気持ちになるまで乗せることはしません。馬に乗ることよりも自分が好きなことがあればそれをすればいいし、そのうち馬に乗りたくなれば乗ればいいと思っています」

鳥取に来て、ハーモニィカレッジに来て改めて感じてきたのは「自分で決めること」の大切さ。例えば、大阪時代に関わっていたキャンプ活動は、スケジュールを分単位で決めていかにそこに合わせていくかに力を入れたが、ポニーキャンプは真逆だった。暑い日には馬じゃなくて急に川遊びに変える、まさに縛られないスタイル。決められたことに合わせるのではなく、余白があって自分で決める余地がある。それが、子どもたちの成長にも欠かせないのだと言う。

「ひろさんが開いていた不登校などの子どもたちを預かる『寄宿塾』で僕も一緒に過ごしたんですが、そこで多くを学びました。ひろさんは子どもたちには自分で育とうとする力があると信じ切るんです。すると、朝も起きなかった子どもたちが、だんだんと馬の世話をしたり、乗ったり、ポニーキャンプで野外活動のことも覚えるようになる。自分でやろうとして動くようになる。それが少しずつ自信になり、自分の中の『何がしたい』という気持ちが出てきます。そうやって、人が変わるのを目の当たりにしてきました」

こんなこともあった。ポニークラブの1期生だった当時小学5年生の女の子がキャンプの時に大堀さんにビールを注ぎに来た。大堀さんにはこういうことも衝撃だったという。

「子どもが自発的にそんなことをするのを初めて見たんです。そんなのルールとかで決まっているわけでもなく、ここの子どもたちは自分で考えているんだと本当に驚きました」

その子も今や母となり、子どもはぱっかに入園。そうやって大事だと思うことがつながっていく喜びも、牧場という場所が長く在り続けるからこそ感じられるものだ。

馬を通して子どもの「かん」を

世界を騒がせている新型コロナウイルスが挨拶の枕詞のようになり、それぞれの生活や思考の変化が顕著だ。幸か不幸か、これまでを見直すことも、そして改めて大事なことにも気づくきっかけにもなっている。

「ＡＩやオンライン、優れた電子機器があったとしても、それらを使う人間のベースの部分は変わらない。感じる感性、不思議に思う力、人を思いやること――。それは

数値化しにくいものであり、長い時間をかけて子どもたちに貯まっていくこと。そこがしっかりとしていれば、時代の変化にも対応していける人になれると思うんです」

言葉にはしにくい部分もあるかもしれないが、と大堀さんは前置きをしながら教育について語った。それが馬とのふれあいの中で身につく子どもの「かん」だ。馬はいきものだから、当然、人の思う通りにはいかない。技術だけ磨いてもだめだし、馬のことを感じようとすることや、感じることができる感性も必要。だから面白い。

ある日、馬に慣れた子が馬の様子を見て「今日はやめておく」と言いだした。大堀さんが乗ってみると確かに馬が荒れていて、ようやくならせたかなと思った瞬間に、その子が「乗るから代わって」と言い、その子の感覚に本当に驚かされたこともある。そんな「かん」は年代によって意味を変える、と大堀さん。

「ぱっかの年代では、見たいとか、触りたいとか感じる『感』が育つ。これが小学生になると、やれる気がするというような『勘』になり、大学生くらいになると、自分の人生をどんな場所でどんな人と過ごすか、どんな仕事をしていくかという人生『観』になっていきます。だから、『かん』をだんだんと育んでいくことは、自分がどう生きたいかやどう在りたいかにつながっていきます」

大堀さんが、ハーモニィカレッジで伝えようとしていることは、子どもが大人になる上で見失いがちなことだ。「やりたい」を育み、それを選択するたくましさは今の時代だからこそ必要なのかもしれない。さぁ、人生をどう楽しもうか。ここで出会う笑顔が、そう言っているように見えた。

人が育つ場

大堀さんとの出会いは、私たちが人材育成プログラム（通称〝研志塾〟）を鳥取県で実施していたときで、第1期生として参加していただいた。ただ、今回お話を伺いながら、大堀さんご自身がすでに立派な教育活動を行われていらっしゃったのだなぁと感じ、私たちが開催したプログラムを受講する必要などなかったように思えたが、それでもなお参加されたことに大堀さんの貪欲に学びたい姿勢が現れていたように思う。

大堀さんへの取材前、一番考えていたのはいったい人がよく育つ場とはどういった場なのかということだった。

ハーモニィカレッジには設立以来、大堀さんをはじめ、県内外からさまざまな人が参加者として、また運営者として関わられている。参加者からそのまま運営側に回っている人も何人かいて、良い形で人の循環が生まれている。その理由もよくわかった。スタッフの方に話を聞くと、みんな一様に「ここには素敵な人が集まってくるから」と返ってきた。実際、私自身も何度もこの場所に行かせてもらったのだが、空山ポニー牧場は、いつ行ってもいい空気が流れている感じがする。

これはカレッジを立ち上げた石井博史さんが残した言葉や考え方も大きく影響しているのだろう。私自身は生前の石井さんにお目にかかる機会はなかったが、大堀さんから聞いたお話から想像するに、「夢を追いかける、熱い志を持った人情味あふれる人」だったようだ。石井さんの志は大堀さんや、その周りのスタッフの方へと着実に受け継がれ、人が自然に育つ場が生まれているように見える。

自分の力ではコントロールできないものに遭遇して、人は変わっていく

ハーモニィカレッジの特徴の一つは、何といっても馬を軸にしたプログラムを提供していることだ。馬はある程度調教されているとはいえ、慣れないうちは、必ずしも人間の思った通りには動いてくれない。これは子育てにも通じるところがあり、それもあって、カレッジでは保育プログラムも展開されている。この、自分の力だけではどうにもならないものに遭遇したときというのが、人にとって成長できる大きなチャンスなのかもしれない。

大人になって社会に出て働くようになると、必ずしも自分の考えた通りには物事が進まないということに多く直面する。そうした状況に遭遇しても、すぐに心が折れないようにするには、やはり小さい頃からこうした状況に接していることが大事なのだろう。

社会が大きく変化する中でも変わらない普遍的な価値

この本を書いている今、世の中は新型コロナウイルスの感染拡大によって大きく変化しようとしている最中にある。ＡＩを使った業務の自動化やテレワークなど、技術革新による働き方や暮らし方も大きく変わりつつある。

しかし、大堀さんが言うように、こうした中でも変わらない普遍的な価値というものはやはりあると思う。それは、「人と対話する力」だったり、「人に共感する力」、あるいはそのベースとなるような「感性」や「直観力」のようなものかもしれない。

馬との関わり合いの中で、あるいは自然の中で活動する中で、子どもたちは自然とこうした感性を鍛えていく。本来こうした力は人間誰しも持っていて、都会的な暮らしの中で忘れてしまっているだけなのかもしれないが、大堀さんたちは少しでもそうした可能性を拡げる努力をされている。

「ここを巣立っていった子たちと例えば東京で再会して、大人になった彼らと飲むときが最高に幸せなんです」。その言葉を聞いて、正直とても羨ましいと思った。自分が信じることを伝え、誰かが人生を歩んでいくのをサポートすること。大堀さんは自分の生きる道を鳥取で見つけたのだ。夢を追いかける心といったものは決してお金では買えないし、恐らくＡＩにも真似できない。25年前に大堀さんがした決断は今、そのときの覚悟に十分見合った価値を生み出している。

8つの「してん」にまつわる情報

INFORMATION of the episodes

episode 5

隼Lab.

1Fはカフェ、コミュニティスペース、2F・3Fはビジネス用にコワーキングやテナントが入るスペースとなっていて、日常的に様々なイベントが開催されています。1FのCafe&Dining Sanのランチは家族連れにもおすすめ。開放感のあるテラス席は本当に気持ちがいいです。

〒680-0404
鳥取県八頭郡八頭町見槻中154-2
☎0858-71-0581
🌐https://hayabusa-lab.com/

episode 6

クリエイティブスペース

TORICO

BIKAI（ビカイ）という、海沿いのお洒落なレストランの2Fをリノベーションして作られたコワーキングスペース兼事務所。私も打ち合わせで度々使わせてもらっています。特に夕暮れ時の日本海を見ながらの仕事は最高にはかどります。

〒689-3221
鳥取県西伯郡大山町富長159-1 BIKAI 2階
☎0859-54-3785
🌐https://ii-office.jp/tottoridaisen-by-torico/about/

episode

7/

とっとりMagazine・トット
＋○＋＋○

鳥取県内のアートや文化に関する、耳よりのイベント情報などを入手することができるほか、貴重なアーカイブとしての役割も果たしているメディアです。鳥取県内のイベント情報は散らばっていて結構わかりづらいのですが、このサイトでは、かなりの割合で質の高い情報に巡り会うことができると思います。

🌐http://totto-ri.net/

episode

8/

空山ポニー牧場
ハーモニィカレッジ

馬とふれあう野外保育中心の牧場内ようちえんから、大人向けの乗馬教室まで、大人から子どもまで楽しめる。スタッフの方が本当に素敵で、行くだけで癒されます。ポニーの乗馬体験会なども定期的に開催されていて、一般の方も気軽に参加できます。

〒689-1124
鳥取県鳥取市越路大谷752-1
☎0858-72-2468
🌐http://www.harmony-college.or.jp/

8人が見つめている
「ゆたかさのしてん」が
本書を読んでくださったみなさまの
ゆたかな暮らしへの
「始点（してん）」となりますように

エピローグ

epilogue

取材を通して見えてきたこと

今回、鳥取県内で活躍される8人の方を取材して見えてきたのは次のようなことだ。それを三つの力という形で整理してみた。

[1] あるものを生かす力

人も少なくなって、目立った産業もない鳥取県には将来を感じられない、だから県外に出るしかないと思っている若い人は多いと思う。いや、若い人だけではなく、そのように思われている親世代の方も多いかもしれない。こうした負のイメージの連鎖が続いてしまうと、その地域に対する未来展望は描きづらくなってしまうだろう。

中にいるとなかなか自分の住んでいる地域の良さや価値といったものに気づきにくい。ただ、ひとたびこうした価値の相対化を行うことができれば、どの地域にも何かしらの価値を見出すことはできるはずだ。鳥取県の所得水準は全国平均に比べて低いそうだが、それでも地域生活が貧しそうに見えるかというと決してそんなことはない。

鳥取県には、GDPなどの経済的指標では測りきれない、豊かさの要素が多くある。そして、こうした必ずしも統計データで測ることのできない非経済的な価値観は、これからの生活や仕事において、より重要になってくるはずだ。

［2］見立てる力

すでに地域にある物を生かすことを考える際に、必要となるのは「物を見立てる力」だ。道端に転がっている石を見て、単に石ころがあると見るのか、それを一つのアートとして見るのか、あるいは有用な物として見るのか、こうしたことは見る人の視点や姿勢によって変わってくる。地域に眠る資源も同じで、豊富にある資源も見立てる力が弱かったりなかったりすると、そこから生み出せる価値も比例して少なくなってしまう。

例えば、鳥取県内には、ほぼどこへ行っても温泉がある。これは私も鳥取県に行く前まではまったく知らなかったのだが、自分の住んでいる鳥取市内にも温泉はたくさん湧いていて、何と銭湯も温泉だったりする。

これも見ようによっては、「温泉が湧いている、それはいいね」で終わってしまう話かもしれない。しかし温泉フリークの人や外国人の目から見たら、まったく違う視点が開けてくるだろう。地元の方に伺うと、市内には昔はもっと多く浴場があり、今でも掘れば出てくるのだそうだ。確かに地名にも「湯所」など、それらしき名のつくところが多い。こうしたことから、例えば鳥取市の中心市街地一帯を、温泉アミューズメントパークのような形に見立ててしまうことだってできるかもしれないのだ。

［3］つながりを作りなおす力

日本財団では、鳥取県とのプロジェクトを始めた当初、慶応大学SFC研究所の協力のもと、人と人のつながりの豊かさと地域の関係性について調査を行ったことがある。

これは、例えば地方創生で同じ資金を投じるにしても、人と人の関係性が豊かで、いわゆるソーシャルキャピタルの高い地域であれば、その効果も高くなるのではないかという仮説に基づき、鳥取県における現状と課題を探る目的で行ったものだ。さまざまな団体や個人へのインタビューやアンケート調査等から見えてきたのは、鳥取県内における人と人のつながりは総じて高そうだということだった。確かに生活をしている中でも、相互扶助や相互信頼は非常に豊かであると感じる。一方でこれがあまり行き過ぎてしまうと、閉鎖的、排他的なコミュニティとなってしまう。

閉鎖的になり過ぎず、一方で昔からある豊かな人のつながり、関係性を生かしていく、こうしたコミュニティができれば良いのかもしれない。都心では、シェアハウスがブームとなり、ある種、人と人との関係性をつなぎなおす動きが生まれ始めている。地方でも、既存のコミュニティに多様なバックグラウンドや考えを持った人が入っていけば、今よりもっと面白い場所になるのではないか。

本書でご紹介した中では、特に古田さんや齋藤さん、貝本さんや大堀さんなどが、人と人との関係性をつなぎなおす取り組みをされていたが、こういった媒介者的な存在は地方にとって本当に貴重だ。

衰退と変化の交差点　―中心市街地に拠点を構えてみて―

日本財団では、今回鳥取県でプロジェクトを始めるにあたって、もともとは県庁の中に事務所を構えていたのだが、途中から鳥取市と米子市の中心市街地の中にもサテライトの拠点を構えることにした。これにはねらいが二つあって、一つはシャッター街となってしまっているところに身を置くことで、商店街のリアルな姿を知るということ。そして二つ目は町に住まう人の声を拾うことで、より良い事業づくりができると考えたからだ。もちろん拠点を構えること自体が、空き店舗の有効活用につながればという思いもあった。

ただ、まちなかで仕事をする中で、この商店街は本当に衰退しているのだろうか、という疑問が湧いてきた。確かに日中商店街を歩いているとほとんど誰にも出会わない。ある一定区間はほぼ完全にシャッター店ばかりで、歩いていても面白そうなお店は何一つないように見える。しかし、そうした中にも、そこかしこに面白そうで魅力的なお店がポツポツとあったりする。特に一本通りを入るとそうしたお店に出会える可能性が高い。また、日中の人通りは確かに全体として少ないのだが、高校の通学路や県庁への通勤路にあたっているため、朝と夕方の人通りは、東京の新橋並みにあったりする。さらに、本書の中でもご紹介した齋藤さんたちのように、空き物件を活用した面白い試みされている方々もいる。

このように見てくると、一見するとシャッターだらけでどうしようもないと思えた中心市街地が、可能性だらけの場所にも思えてくる。

私がこうした考えを持つきっかけを与えて下さったのは、以前鳥取市中心市街地活性化協議会でタウンマネージャーを務められていて、現在は岡山で教鞭を執られている成清仁士さんだ。成清さんは、市街地をくまなく歩きながら、そこかしこにある魅力的な場所や人をつないでいくような活動をされていて、私もそれを横で見ながら学ばせていただいた。

空き店舗だらけの商店街は、衰退の象徴と見られがちだが、実はこれから変化が起きていく大きな可能性を持った場所ととらえることもできる。そうした変化と衰退の交差点の中に身を置いて、改めて都市の価値について考えさせられた。

完成された都市、未完成の地方

東京や大阪といった大都市は確かに面白い。出会える人の数も多いし、美術館やコンサートホール、ライブハウスなどの文化施設も豊富にあり、食事や買い物のオプションも無数にある。人の生活欲求に照らして考えると、極限までそのニーズを満たし、完成までもっていこうとしているのが都市なのだろう。だから若い人は都市部に流れてしまう、という声が聞こえてきそうだ。確かにその一面はあると思うし、刺激や出会いを求める若い人にとって、その魅力に抗うことはなかなか難しいと思う。

地方の暮らしが、自然が豊かで安心して暮らすことができるなどといった宣伝文句は、どこの自治体でも見かける。しかしこうしたメッセージだけで、都会の力に抗えるとはとても思えない。これはお菓子を食べたいと言っている子どもに、野菜も体に大事だから食べなさい、というのに似ている。甘いお菓子の魅力には抗いがたいのだ。ではどうすればいいか。

例えば、都市に行って新しいことにチャレンジしたいと思っている若い人がいるとする。その人に対して、「都会には意外にチャレンジできる余地は少ない、これはすでに多くの人が同じようなことを考えて行動しているからで、いわばレッドオーシャンの状態だ。一方で地方には、まだチャレンジしている人はそれほど多くない。徐々に増えてきてはいるが、まだまだ新参者も活躍できる余地はたくさんある」と言ってみたらどうだろうか。本書で取り上げた貝本さんは、まさにそれを体現している人の一人だろう。「仕事をするなら地方、暮らすのは都会の方がいい」と言われていたが、本当に自分の力を試してみたい、チャレンジをしてみたいと思う人にとって、人口の少ない鳥取のようなところは、ポテンシャルがあるところなのかもしれない。

本書を通して伝えたかったこと

プロローグでも書いたとおり、この本を書こうと思った一つの理由は、多くの人が持っている固定観念を少しでも崩したかったからだ。それは、「鳥取県のような人口も少なくて、目立った産業もなく、新幹線も通らない、日本の周縁にあるような地域には、何も面白いことはない」、だから「都会に出ていった方がいい」といった物の見方のことだ。

[1] 周縁にこそ眠る、変化とチャンス

世界に目を向ければ、一時衰退した町が、あることをきっかけに大きく変化した地域はたくさんある。アメリカではデトロイト、サウスバイサウスウェストで有名なテキサス州オースティン。Twitter社もこのイベントをきっかけに生まれている。ヨーロッパではアートテクノロジーのイベント「アレスエレクトロニカ」を開催している人口約3万人のオーストリアのリンツ市や、食を軸にした町の活性化を行っているスペインのサンセバスチャンなど、数え上げればきりがない。

もちろん、国内でもすでにそうした萌芽は見られて、有名なところでは徳島県上勝町、岡山県西粟倉村、島根県海士町、北海道東川町等々、全国の周縁でじわじわと変化が起きつつある。最近では、パソナグループが本社を淡路島に移転するというニュースが流れていたが、コロナの影響もあってこうした変化やチャンスに敏感な企業や個人の動きは今後加速していくことも考えられる。

［2］小さい、制約があるからこそ生まれる発想

これまでの常識では、人口が少ない＝マーケットが小さい。だからビジネス的な価値も低いと見られがちだ。確かにビジネスの世界では、数を稼ぐ、単価を上げるということをクリアする必要があるので、数は多いに越したことはない。

しかし、千利休が茶室という小さな空間の中で、余計なものを削ぎ落としていきながら、そこに価値を生んでいったように、小さいことや、制約があるということは、むしろ知恵や発想を生んでいくのに適しているのではないか。

地域づくりの世界では、昔から、「ないもの探しをするのではなく、あるもの探しをしよう」といったことが言われる。恐らくこれはビジネスの世界にも共通するだろう。日本のこれまでの産業は、高度成長期を経て、ひたすら「ある」状態を是としてひた走ってきた。戦後しばらくの間は、戦争により多くの物を失ってしまったため、その反動でもあったのかもしれないが、今一度「ない」状態から物事を発想していく力を取り戻さないといけないのかもしれない。

［3］何もない、余白があるからこそ想像力が喚起される

そして、何もないということは、一見すると何も価値がない、魅力もないと見られがちだが、果たしてそうだろうか。本書で取り上げた人たちをご覧いただければおわかりの通り、「何もない」状態ということは、すなわち「人がやっていない」だけの状態なのかもしれなくて、見方次第、工夫次第でいろいろなことを試していくことのできる、余白の多い状態であるとも言えるだろう。そして、こうした余白を埋め

ていくのに最も欠かすことのできない力が、「想像力」だ。

ゆたかさのしてん

本書でご紹介した方々は決して特別な誰かではない。ただ、共通していえるのは、これまで書いてきたとおり、おそらく人より少しだけ想像力がたくましいという点だと思う。そして想像力は、誰しも磨いていくことができるのだ。

まだ誰もやったことのないことを、自分が信頼できる仲間たちと一緒にチャレンジしていく。そうした状態をつくることができれば、場所に関わらず面白い働き方や刺激にあふれた生き方をすることができる。地方は、そうした思いを形にしていくのにうってつけの場所だ。私自身も、鳥取県に移住してから、東京時代とは比較にならないくらい、物を考える時間が増えたし、たとえプロジェクトとしては小さくても、自分の頭で考えたことを仕事として形にしていく機会が増えたように思う。こうした経験は、ある意味で苦労も多いが、だからこそ仕事のやりがいや充実度も違ってくる。

物の見方を少しだけ変えて、行動していけば、想像力を生かした働き方や暮らし方は誰にでもできる。「ゆたかさのしてん」はきっとみんなの中にあるはずだから。

謝 辞

本書の執筆にあたっては、今井印刷㈱の古磯さん、實重さん、デザイン面でご協力いただいた㈲あっぷるはうすの遠藤専務、そして、本書を彩る素晴らしい写真を残していただいたカメラマンの藤田さんに心から感謝しています。藤田さんとは私が鳥取で企画したローカルメディアを考える会で出会い、こういった趣旨の本を作りたいと話をしていたところから一気に企画が動き始めました。本書の制作にあたって企画から編集、取材まで、藤田さんの力がなければ本書は実現しなかったと思います。何より本書に登場頂いた鳥取県で活躍される8人のプレーヤーのみなさま。本書の取材にご協力いただいたことに改めて感謝申し上げます。

そして、鳥取県立図書館の高橋真太郎さんには、折に触れて本書の内容や、参考になりそうな文献や資料についてアドバイスいただき、本を書く上でさまざまな視点をもらうことができました。

最後に、本書の出版を後押ししてくれた日本財団、そしてこのような機会を与えていただいた鳥取県という地域に感謝しています。

本書を通して少しでも鳥取県やそこで活躍される方の魅力が伝われば、そしてこれからの暮らし方を考える一つのきっかけとなれば嬉しく思います。

参考文献

暉峻 淑子『豊かさとは何か』岩波新書、1989年
内山 節『新・幸福論』新潮選書、2013年
小田切 徳美『農山村は消滅しない』岩波新書、2014年
高松 平藏『ドイツの地方都市はなぜクリエイティブなのか』学芸出版社、2016年
ハナムラ チカヒロ『まなざしのデザイン：〈世界の見方〉を変える方法』NTT出版、2017年
平田 オリザ『新しい広場をつくる』岩波書店、2013年
松岡 正剛『日本文化の核心』講談社現代新書、2020年
柳 宗悦『民芸とは何か』講談社学術文庫、2014年
結城 登美雄『地元学からの出発01』農文協、2009年
渡邉 格『田舎のパン屋が見つけた「腐る経済」』講談社、2013年
F・アーンスト・シューマッハー『スモールイズビューティフル』講談社学術文庫、1986年

企画・執筆
木田 悟史（公益財団法人日本財団　鳥取事務所所長）
慶応義塾大学環境情報学部卒業後、日本財団入団。総務部や助成事業部門を経て、NPO向けのポータル・コミュニティサイト：通称「CANPAN」（カンパン）の立上げに関わり、企業CSR情報の調査等を担当。2011年に発生した東日本大震発災後は支援物資の調達や企業と連携した水産業復興支援事業のため、約３年間東北地方と関わる。

取材＝文・写真＝
藤田 和俊（フォトグラファー、ライター）
早稲田大学政治経済学部卒業後、鳥取県の新日本海新聞社で記者（運動部、社会部）を経て2019年に独立。人物ドキュメンタリーの取材・撮影に軸に、同県智頭町で人にスポットライトを当てたWEBメディア「脈脈」を立ち上げる。
「脈脈」https://myaku-myaku.com/

ゆたかさのしてん
小さなマチで見つけたクリエイティブな暮らし方

2021年2月22日　初版第1刷
企画・執筆　木田 悟史
取材・撮影　藤田 和俊
デザイン監修　遠藤　亨（有限会社あっぷるはうす）
発 行 元　今井印刷株式会社
〒683-0103　鳥取県米子市富益町8
TEL 0859-28-5551㈹

発売：今井出版　ISBN 978-4-86611-224-4

不良品（落丁・乱丁）は小社までご連絡ください。送料小社負担にてお取り替えいたします。

本書のコピー、スキャン、デジタル化等の無断複製は、著作権法上での例外である私的利用を除き禁じられています。本書を代行業者等の第三者に依頼してスキャンやデジタル化することは、たとえ個人や家庭内での利用であっても一切認められておりません。